何云波围棋文集 二

竹林品弈

何云波 著

青岛出版社
QINGDAO PUBLISHING HOUSE

图书在版编目（CIP）数据

何云波围棋文集 / 何云波著 . -- 青岛 : 青岛出版社 , 2017.12
ISBN 978-7-5552-6560-3

Ⅰ . ①何… Ⅱ . ①何… Ⅲ . ①围棋—文集 Ⅳ . ① G891.3-53

中国版本图书馆 CIP 数据核字 (2017) 第 319530 号

书　　名　何云波围棋文集（二）・竹林品弈
著　　者　何云波
出版发行　青岛出版社
社　　址　青岛市海尔路182号（266061）
本社网址　http://www.qdpub.com
邮购电话　13335059110　　0532-68068026
策划组稿　刘海波
责任编辑　田　磊　张佳妮
封面设计　刘霄汉
制　　版　青岛乐喜力科技发展有限公司
印　　刷　青岛乐喜力科技发展有限公司
出版日期　2018年2月第1版　2018年2月第1次印刷
开　　本　16开（710mm × 1000mm）
印　　张　15.5
字　　数　200千
印　　数　1-3000
书　　号　ISBN 978-7-5552-6560-3
定　　价　198.00元（全四册）

编校印装质量、盗版监督服务电话：4006532017　0532-68068638

目录
Contents

第一辑　黑白之旅

第二辑　诗路棋迹

第三辑　爱棋者说

第四辑　悟道黑白

第一辑

此辑为围棋文化电视系列片《黑白之旅》的八集解说词。中南大学胡光华、余文宇、张向真曾参与策划讨论，何云波、李松撰稿。其中《枰声局影》《棋行天下》由李松执笔，其余六集由何云波执笔。

天圆地方

这里是中国凤凰南长城，一盘特别的棋正在这里展开。

一边是韩国“石佛”——李昌镐，一边是中国“龙”——常昊。

这棋的独特，不在胜负，而是在它那别具一格的争斗形式。

两大高手正在南长城的东门楼上展开无声的厮杀。而门楼下的广场，在那个一千余平方米的世界上最大的棋盘上，身着黑白服装的武林童子，也正在倾情演绎棋盘上的争斗。一时间，我们仿佛听到了古战场的喧嚣，大地的回声。

此刻，天、地、人、棋仿佛交融在了一起。

常常有人问，围棋的魅力究竟何在？它为什么会让那么多人沉迷其中、乐而忘返，甚至为了棋的输赢，或喜或忧、呕心沥血，几至忘情？也许，南长城上的那盘大地之棋可以给我们一些启示。

透过黑白童子的交锋，我们仿佛看到了现实的投影。有人说，围棋就是对人类为争夺生存空间而展开争斗的模仿。看那巨大的棋盘、那纵横交错的格子，多像大地中的阡陌交通、山水沟壑。那纵和横的交错，组成了一个个的“田”字，树谷曰“田”，那可是人类生存的命脉啊！

有一天，当有两个人站在一块田地里，一个说：“这是我的禾。”另一人则说：“那是我的。”人类的生存竞争也就开始了，就像这黑白两色棋子的交锋。中国古棋有黑白对角各两个座子，大约就似在地里先设置四个“禾桩”，然后说你们开始“围地”吧，多者为胜！

许多竞技游戏，像拳击、足球、棋类，都与人类的生存竞争有关。人类历史上的战争连绵不绝，人们一方面为国家、民族的生存，为主义、信仰而战；

另一方面，在崇高的旗帜下又隐含着人的攻击性、破坏性冲动。而当有一天，人们划下固定的地盘，设置了一系列规则，这战争就成了游戏。

围棋与足球、拳击等同为战争游戏，但其争斗的方式是不一样的。拳击是赤裸裸地通过对他人身体的击打来显示自己的强壮；足球是在快速的奔跑、激烈的冲撞、巧妙的切入、气贯长虹的射门中体现力量之美、冲突之美。

有人把足球称作是黑白相间的精灵，它闯进亿万人的心灵，让无数人在球场上为之哭哭笑笑，为之疯狂。

而黑白子的拥抱，则更像是一场无声的战争。一切的争斗，都是在优雅的“手谈”中完成的。弈棋台上，松风流水之中，手谈一局，该是一种多么令人神往的境界。

于是，源于“战争”的围棋又成了一种艺术。棋枰就是一个时与空的坐标，是辽阔的大地，是广袤的宇宙。未落子时，一切都显得那么空旷，充满了无数的幻想与期待。

啪的一声，一颗子落了下去，就像空旷的宅院里住进了人，广袤的大地上有了第一缕炊烟。

以后，随着大地上的人越来越多，也就有了无数的人生悲欢，世事纠葛。黑白子相互试探，守望，缠绕，牵绊，争执，逃避……如凤在天，如龙在水，像惨烈的争斗，又像一场跨越千年的约会。

一局棋终，一切的喧嚣都归于宁静，棋盘上只剩下一个个黑白相拥的故事。

都说棋是对人生的模拟。当然这种模拟又是有差别的，不少棋类游戏都是对现实世界冲突的直接模拟。军棋是简单直接的军长吃师长，师长吃旅长，旅长吃团长，遇到地雷，同归于尽。象棋稍好一些，但每个子的身份、地位、行为规范都是固定了的。楚河汉界，两军对垒，代表皇权的将、帅身居皇宫，仕女伴其左右，兵则只能勇往直前，并且只可进不可退，这种身份轻易改变不得。

而围棋却只有纵横十九道格子，黑白两色棋子，棋子上没有字，也就没有身份，它可以什么都是，当然也可以什么都不是，一切随时而变，顺势而动。

围棋的形式要素被简化到极致，包含的变化却没有穷尽，这正所谓最简单、朴素的就是最丰富、复杂的。

琴棋书画，围棋作为其中一门艺术，与其他艺术有相通之处。棋盘、棋子，一方一圆，“围奁象天，方局法地”，天地方圆之间，便有一种对立中的和谐之美。而棋子，一黑一白，在棋的进行过程中，相互拥抱，本身便犹如一幅极美的图画。中国的书法、绘画，白纸黑墨，黑白两色，乃是对大千世界丰富色彩的浓缩、抽象。中国绘画从写实的角度说，可能不如讲究色彩搭配的西方油画那样逼真；从欣赏效果说，也不如浓墨重彩的油画那样富于视觉的冲击力。但它在简单、抽象中自有让人品之不尽的韵味。围棋亦然，它同样体现了中国艺术的审美精神。

从某种意义上说，围棋是一种点与线结合的艺术。落子成点，棋子与棋子之间相互呼应、彼此贯通便成线。低手的棋往往前后缺少连贯性，高棋则如行云流水，一气贯通，大势浑成。这就是棋的调子，就如那音乐，有了韵律，便有了动人之美。

棋盘棋子的点线连缀，同时也使我们联想起黑白书法。书法也是一种线的艺术，而棋的种种走法，大飞、小飞、单关、小尖、立玉柱、金鸡独立，都是线的连接，扭断便常常意味着战斗的开始。布局中的三连星、中国流、小林流、对角星、平行型等这些不同的点线组合中便包含了不同的棋风以及各自对棋局的不同理解。所以有的人说，马晓春的棋就像怀素的狂草，钱宇平的钝刀刻出的就是中规中矩的隶书，常昊以他的朴实厚重书写着颜真卿的大楷，大局观出色的聂卫平则在自如地挥洒着他的行书……

一张黑白山水画，一幅纵横捭阖的书法，一首意境深邃的诗，一种别样的人生，围棋包含着自然与生命之美，是宇宙万象的缩影。

围棋的生存之本在于“气”，气之流转、变动便成棋局，有气则生，气尽棋亡。所以好的棋型气态舒展、生动，愚型则生涩板滞、气脉不畅。就像大千世界的万物，皆有赖于气而生，有“气”才有生机，所以植物间的争斗都是围绕着空气、养分而展开。

茫茫宇宙，人函天地之气，人在气中，气在人中。围棋盘同样像个小宇宙。

有人说，人仰望星空、测量星象，然后有了围棋，所以围棋又被称为“星阵”，棋盘上有九个星位，正中即为天元。而棋盘上散落的棋子就像满天星斗，星罗棋布。

看棋盘中的天元，多像那太极，缥缈虚空，生气流转。而黑白子，就是由太极化生的两仪，“棋法阴阳，道为经纬。清者在天，浊者在地”，黑白子中即包含着阴阳乾坤的无穷变化。《棋经十三篇》说：“夫万物之数，从一而起。局之路，三百六十有一。一者，生数之主，据其极而运四方也。三百六十以象周天之数。分而为四隅，以象四时，隅各九十路，以象其日。外周七十二路，以象其候。枯棋三百六十，黑白相半，以法阴阳。”这其中不无附会之处，却正体现了围棋作为胜负之道之外的文化意味。

围棋是游戏，是竞技，是艺术，是宇宙之象、人生之道，或者大而言之，就是一种文化。每个人心目中，似乎都有自己关于围棋是什么这个问题的答案。对于大地之子来说，“黑白”也许就是“天上的云，地上的泥”；在不谙世事的孩子眼里，围棋是“一群喜鹊在林中自由地嬉戏”；饱经风霜的老人则把围棋当作“一部承载往事的书籍，白纸黑字，历历在目”；浪漫的诗人说围棋“一半是海水，一半是蓝天”；恋爱中的男女回答又有不同，“黑白子是一对相亲相知的生死恋人”。在这里，“黑白”就是生命的感悟，就是一种人生。

天圆地方，人居其间。看大地上那一座座四四方方的宅院，多像棋盘中一道道的格子，装满了人生的悲欢离合、喜怒哀乐。大千世界，也仿佛都浓缩在了这小小棋盘中。黑白子的阴阳交抱，本身就似在昭示着混沌初开之意境。玄之又玄，众妙之门，这是道，也是棋。

原载《围棋天地》2006 年第 2 期

千年棋脉

2004年，第十七届中国围棋名人战在山西晋城市举行。它的口号就是“让围棋回家”，因为据说晋城市陵川县有座棋子山，那里就是围棋的发源地。名人战赛场从晋城市到棋子山的安排也别具匠心，仿佛围棋就是这样一步一步完成了它“回家”的旅程。

棋子山位于太行山脉的淇水之源。有学者推断围棋起源于殷末周初，地点就是棋子山，其产生与一位叫箕子的卜筮家有关。

吴清源先生也曾谈到，围棋最初并不是一种争胜负的游戏，而是占卦天文的用具。在文字产生之前，人们就是在棋盘上用白子和黑子来推测阴阳的变化。尧把帝位传给舜后，把作为天文和占卜工具的围棋传给了儿子丹朱，让他掌管祭政的祭祀活动。

循着棋枰观星象，棋盘中黑白棋子的交抱，确实很容易使人联想到太极图，联想到河图洛书。伏羲创八卦和太极图的伏羲台的遗址，就在古洛河入黄河处——今巩义市河洛镇黄河南岸。于是便有人说，围棋应该产生于中原河洛地区。

也许，围棋的产生本来就非常简单。原始时代的先人们，在地上画三五道线连成方格，再摆上几颗石子或几根长短不一的树枝，做圈地、攻杀的游戏，也许这便是古代“弈”的雏形。

先秦两汉，博与弈常常并称。六博是一种靠掷骰子行棋的棋戏，从先秦到汉代，一直非常盛行。在马王堆汉墓的出土文物中就保留着一副完整的博棋棋具。博戏带有浓厚的赌博色彩，围棋与博为伍，地位自然不高。

汉以后，社会纷乱，文人士子的命运在各种政治漩涡中浮浮沉沉。何况人生苦短，“生年不满百，常怀千岁忧。昼短苦夜长，何不秉烛游？为乐当及时，何能待来兹？”舍弃功利，及时行乐，便成了当时社会的一种普遍风气。于是，“戏”便成了他们人生中的重要内容。寄情于诗、酒、琴、棋、山、水，成了他们释放自我的一种方式。竹林七贤酣饮高卧，吟诗下棋，啸傲山林；袁羌一边谈易，一边下棋，口手相应，意态傲然……这正是所谓的魏晋风度。“魏晋人物晚唐诗”，人们把带“风”字的词都送给了那个时代：风度、风流、风情、风姿……令人“忘忧”的围棋以其独特的魅力，受到那个时代人们的青睐。

围棋作为“游戏”，也就有了它独立存在的价值。“手谈”“坐隐”“忘忧”“烂柯”围棋的这些雅号都是出现在那个时代，它代表的是人精神存在的一种方式。以“手谈”代清谈，以围棋为“坐隐”，在尘俗的世间，忘却一切烦忧，体味精神归隐之趣，何乐而不为？

南北朝时，文化中心南移，中国围棋终于迎来了它的第一个黄金时代。梁武帝亲自撰写《围棋赋》，宋明帝设围棋州邑，这应是中国最早的官方围棋机构了。与此同时，围棋也正式成为一种“艺”，并有了完善的品第制度。诗有《诗品》，画有《画品》，书有《书品》，棋则有《棋品》。到唐代，琴、棋、书、画并称，围棋正式成为“四艺”之一。

说到唐代，我们就不能不提到都城长安。唐王朝声名远播，长安一时极盛。“长安别是一家棋”，这棋声首先来自宫廷。“手谈标昔美，坐隐逸前良”，唐太宗咏棋，引来群臣唱和。玄宗还专门设置了棋待诏与棋博士制度。王积薪、王叔文、顾师言等都是著名的棋待诏。玄宗也经常与杨贵妃弈棋，“春寒赐浴华清池，温泉水滑洗凝脂”，邀宠进幸，大约也少不了围棋吧！

而文人也得风气之先，大多好弈。白居易有诗云：“何处春深好，春深博弈家。一先争破眼，六聚斗成花。鼓应投壶马，兵冲象戏车。弹棋局上争，最妙是长斜。”“博弈家”类似于今天的私人俱乐部，文人在这里弈棋作诗，“楚江巫峡半云雨，清簟疏帘看弈棋”“青山不厌千杯酒，白日惟消一局棋”，真是令人流连啊！远在蜀地的杜甫，在秋风落叶中仍在怀想着故都：“闻道长安似弈棋，百年世事不胜悲。”

长安犹似一盘棋，百年世事都如那棋局一般反复不定。物是人非，王侯第宅皆换新主，文武衣冠已非昔时。战事不断，寂寞秋风，真是长安不见使人愁啊！

西京过处是东京，宋太宗半生戎马倥偬，终于在汴京落下脚来，可以在围棋这类玩物中歇一口气了。

御城楼上，宋太宗一边在这里与臣僚对弈，一边自制棋势："对面千里""独飞天鹅""海底取明珠"。莫非战事已了，从此要在棋盘上行游天下……

走进开封，就仿佛走进了历史。穿过走马街，漫步清明上河园，则是另一番景象了。透过张择端的《清明上河图》，可以想见当年汴京的繁华。瓦舍勾栏、茶楼酒肆……娱乐，成了都市生活的一种时尚。棋待诏们待在深宫里陪皇帝下棋，文人在雅舍间定期聚会，“琴弈相寻诗间作，笑谈终日有余欢”，一般人呢，则只能在棋摊、在茶楼酒肆中过过瘾了。曾经高雅的围棋，也就走向了大众，走近了芸芸众生。

据说北宋全盛时，士大夫沉溺于喝茶下棋不能自拔，有的甚至废业弃官。有人遂将茶笼称为“草大虫”，棋枰呢，就是“木野狐”，说它媚惑人就像那美女狐，由此可见当时棋风之盛。到南宋时，虽偏安一隅，在杭州这“诗酒琴棋歌舞地”，高宗皇帝仍“万机之务尽付之”，所乐者琴棋书画而已，难怪有人要说玩物丧志。

在唐宋，围棋的发展除经济因素影响外，另外还依赖于政治的力量。到了明清，棋待诏制度已不复存在。经济成为一只看不见的手，主宰了围棋的流向。围棋在清代走向顶峰，在很大程度上得益于一个城市——扬州。

“故人西辞黄鹤楼，烟花三月下扬州”，扬州不断地让人生出尽兴一游之念。古老的扬州，中间虽几经沉浮，到清中叶，随着扬州盐业的兴盛，随着康熙、乾隆多次下江南、驻足扬州，运河边的扬州成了经济的中心，围棋活动也随之轰轰烈烈地开展起来。

乾嘉时扬州富甲天下，豪商巨贾多好附庸风雅，文士棋客便成了他们的座上宾。四方弈士慕名而来，人才济济，造就了扬州围棋的鼎盛。“绿杨城廓是扬州”，轻风飞絮、杨柳依依中，清代著名棋手周懒予、周东侯、盛大有、黄龙士、范西屏、施定庵都曾在此留下他们的身影，有的索性一辈子就住在这里了。而像晚清国手周小松更是地地道道的扬州人。“二十四桥明月夜”，在瘦西湖的莲花桥上，在往来穿梭的五彩画舫中，也就少不了围棋的流风余韵。

清代道光年间盐法改变，扬州的盐业每况愈下，扬州的繁华一去不复返。况且，偌大的清王朝也已经是日薄西山，江河日下。皮之不存，毛将焉附？围棋逐渐失去了生存的土壤。这种衰落，周小松在世时就已经感觉到：“弈虽小道，恒视国运为盛衰。”一个棋手许多的人生况味，便都包含在这一句感慨中了。

二十世纪初，随着中国社会的转型，中国围棋也开始了它的变革。古风盎然的围棋，在外力的刺激下，有了新的活力、新的气象。围棋的中心，也开始转向北京、上海等大城市。于是，在皇城根下的茶楼、四合院，在大上海的黄埔江畔，都留下了二十世纪中国围棋渐行渐远的背影。

原载《围棋天地》2006 年第 4 期

枰声局影

在中国传统文化的乐章中，围棋的落子声究竟始于何时？起于何处？答案恐怕已难以寻觅，然而千百年来，黑与白的纠缠、木与石的对话，简单的物质形态演绎着人类复杂的心智较量。于是，这丁丁棋声便得以穿越时空，延绵至今。

在陕西咸阳出土的石棋盘，边长六十六点四厘米，厚三十二厘米，磨制光滑，周饰一圈二方连续菱形方格纹，盘面以黑线画出棋格，纵横十五道。考古证实：此物出自西汉中晚期，这应该是我们所见到的最早的围棋盘实物了。

再往前追溯，从原始氏族社会的彩陶器中，我们也能依稀找到一些关于围棋的蛛丝马迹。这些图案的线条匀称，格子整齐，道数多为十至十三道不等，因此，考古学家称之为“棋盘纹”图案。

围棋的制式以道划分。若要争个胜负，从理论上说，至少要七道。道数愈多，变化也就愈多，从简到繁，经历了一个漫长的演变过程。在这期间，多种制式和平共处，直至隋唐才渐渐归一。中国古代数学名著《孙子算经》写道：“今有棋局方一十九道，问棋几何？答曰三百六十一。”由此看来，我们今天所用的十九道盘，在隋唐时期已成为通行的标准制式。河南安阳出土的隋代张盛墓中，就有一具瓷质十九道盘。

围棋盘的材质，有木、石、瓷、纸、织锦、金玉等，其中以木质为多。晋人曹摅曾在《围棋赋》中写到棋盘的制作：“局则以邓林之木，鲁班所造。规方砥平，素质玄道……”

古人曾用楸木、桄榔木、桑木、檀木来制作棋盘，而最常见的要数楸木了。据说这种制法最早始于南朝武陵王萧晔。唐代刘存在《事始·侧楸棋局》中有这样的记述：“自古有棋即有棋局，唯侧楸出齐武陵王晔，始令破楸木为片，纵横侧排，以为棋局之图。”在古诗文中，我们常见到“侧楸敲醉醒”“闲对楸枰倾一壶”“井里交连侧局楸”等诗句，可见，侧楸盘在当时的士大夫阶层中广为流行。

木质棋盘工艺精美、制作简单，但置于户外，恐又经不住大自然的风霜雨雪，于是人们想到了石头。

在园林胜地，楼台庭院，或是寺庙古刹，常可见到在石头上刻出的棋局，刀雕斧凿，古朴坚固，一任岁月侵蚀。唐代诗人吴融有“锡倚山根重藓破，棋敲石面碎云生”的佳句，将这石棋局的妙处一语道破。

另一类石棋局则是天然的。如四川灌县灵岩山有棋盘石，相传有仙人弈棋于此；黄山棋石峰，亦为仙人对弈之处；宝庆城南五里，诸葛亮曾在此宴兵着棋……

这些传说从何而来，没有人说得清楚，多半是歇脚时发现有块石头生得像块棋盘，便有好事者将神仙或半人半仙的英雄故事附着其上，平添几分浪漫传奇而已。

有了棋盘，当然就得有棋子。正是这非黑即白的尤物，几千年来惹得多少人如痴如醉，欲罢不能。

中国古代围棋棋子的形状一般为圆形，上下两面凸起。也许由于这种棋子摆在盘面上不够稳当，明代以后，该种棋子逐渐被改良成一面平，一面凸。而日本一直沿用的仍是中国古代两面凸的棋子。

在古汉字中，棋字有两种写法，一种从木，另一种从石。事实上，古代围棋子的制作材料，也不外乎木石两种，只是木棋子的重量、坚硬度、手感均不甚理想，棋局逐渐被石棋子一统天下。

最初，人们常精选海边江畔的鹅卵石为棋，深色为黑，浅色为白，自是天成。然而，天然的鹅卵石远远满足不了市场的需求，人们开始寻思着棋子的规模化生产，原料则是花岗岩一类的石材，白棋多为汉白玉，黑棋则为绿色矿石。当时的敦煌寿昌、河南蔡州（今汝南县），皆因石产丰富而成为有名的贡棋产地。

随着冶炼术的进步，将各种矿石混合烧炼棋子成为可能，云子便应运而生。唐代傅梦求的《围棋赋》中便有“枰设文楸之木，子出滇南之炉”之说；明代著名地理学家徐宏祖在其不朽之著《徐霞客游记》中也提到：“棋子出云南，以永昌为上。”云子白如脂玉，黑中透碧，以晶莹剔透和手感温润而蜚声海内外。滇南逐渐成为我国最大的棋子产地。

棋下到这会儿，似乎总感觉缺了点什么。玉子文楸，毕竟还是坐实之物，若摆在竹间松下，风中水畔，则进入了一种“虚境”。下棋讲究的不光是胜负之乐趣，更有精神的向往。弈翁之意不在棋，而在乎山水之间。这种“弈趣”，又被文人墨客们低吟浅唱，歌咏不休。如袁枚。

棋局临飞瀑，棋声与瀑分。
下山千尺雪，背水两家军。
风里叶如斗，窗前鸟不闻。
浑凝仙子戏，橘叟与桐君。

诗人好个雅兴，将棋阵设在千尺雪练之下。背水相博，棋声、瀑声、风声、鸟声交织在一起，使人忘却尘俗，如入仙境。

清代文人顾陈垿的月下舟中对弈，为我们描绘了一个诗画般的意境。

问渡携棋局，忘言到夕曛。
星辰两手握，吴越一江分。
小壶劫中隐，馀音橹外闻。
机心浑不用，仍可狎鸥群。

满江星月，一叶扁舟，舟内枯棋一枰，掂子如摘星，对坐如吴越，从棋中玩味壶中之隐，听取橹外之音……这不仅仅是下棋，而是闻道了。

竹树日已滋，轩窗渐幽兴。
人闲与世远，鸟语知境静。
春光霭欲布，山色寒尚映。
独收万虑心，于此一枰竞。

在欧阳修的眼里，弈趣不在弈棋本身，而在于弈的情景与心境：竹树繁茂，推窗见幽，临窗设局，无车马喧哗，有鸟语相伴，怎不令人收万虑之尘念，得人生之佳趣。

“庭院深深深几许，棋声流水古松间。”现代人为了追寻这种古风，也把围棋引入了水乡周庄，把比赛放在了胡同里的庭园。小楼夜听潇湘雨，棋子厅堂寂静中，棋盘上的激烈博杀，便平添了些许幽思古韵。当然，如果把棋放在华山峭壁之上，这棋里也就多了几分英风侠气。

这“弈趣”是雅得不能再雅了。然而中国围棋几千年的兴盛，却未必是文人骚客们在“大雅之堂”雅玩的结果，倒是凡俗间更为广阔的天地为围棋的滋生发展提供了丰沃的土壤。这土壤便是茶馆。

随着封建社会后期商品经济的萌芽，城市日渐繁荣，市民阶层不断扩大，遍布大街小巷的茶馆成为人们聚会休闲之地，围棋也随之渗透到瓦舍勾栏、茶楼酒肆。出身本来就卑微的黑白子，回归本色，进入寻常百姓家。

在这里，有茶便有棋，有棋便有棋迷，他们的日子，与其说是在“茶”里泡着，倒不如说是在“棋”里泡着。有下棋的，也有观棋的；有打发时光的，也有借此谋生的；有跃跃欲试的愣头青，也有不动声色的老江湖……作为一种典型的城市市民的文化载体，茶馆或许免不了“荤者杂陈”之嫌，然而从古至今，它对中国围棋的普及发展产生过的重大影响，却也是不争的事实。

当历史迈入网络时代，现代互联网以它强劲的冲击力改变着人们的传统思维定式和生存模式，当然也改变着围棋的话语形式和对弈方式，网络围棋似乎在一夜间席卷大江南北，人们开始用鼠标和键盘与相隔天涯或咫尺、认识或不认识的棋友进行“手谈”。

网络是真正的棋迷天堂。只要点击鼠标登录大大小小的围棋网站，你就可以进入精彩纷呈的围棋世界尽情漫游，不讲究身份，也不需要段位，什么人都可以设坛摆擂，相邀天下英雄；什么人都可以谈玄论道，畅抒真知灼见。兴起时，发一个帖子，立马会得到来自四面八方的呼应，喝彩的，拍砖的，灌水的，大家热闹一番，然后各自散去。当然，你也可以静静地守着一枰枯棋，让自己沉浸在无声的刀光剑影之中。在这里，围棋成为大家共同的语言。

这么说来，围棋还是围棋。正所谓“一千五百年间事，唯有棋声似旧时”，即使是在电脑模拟出来的落子声中，我们依然可以追寻到那时断时续的枰声局影。

原载《围棋天地》2006 年第 6 期

黑白人生

黑与白，是棋子的颜色，它又总是让我们联想起大千世界，想起那黑夜与白天的轮回，那白墙碧瓦，白纸黑字，黑头发与白皮肤，黑道白道……都说人生如棋，棋盘小宇宙，天地大棋局，演绎了人生的一幕幕悲喜剧。卧龙先生隐居南阳，吟唱着：

苍天如圆盖，陆地似棋局；
世人黑白分，往来争荣辱；
…… ……

这里是南京的秦淮河，在人声鼎沸的喧闹中，乌衣巷静悄悄地守在这里，守着一丝寂寞，一份宁静。“朱雀桥边野草花，乌衣巷口夕阳斜。”想当年，在这王谢古居内，曾经招待过多少英雄豪杰。王导、谢安、王羲之、王献之、谢灵运、谢朓……他们或出将入相，或在绢纸上笔走龙蛇，于山水中寄兴遣怀，“王家书法谢家诗”正体现了乌衣子弟的风采。当然，最让人津津乐道的还是谢安指挥淝水之战，纹枰手谈，从容退敌的佳话。

且说前秦苻坚率百万大军进抵淝水，京师震恐。晋帝封谢安为征讨大都督。黑云压城，风声鹤唳，谢安却下令出去郊游。一时亲朋毕集，谢安与张玄以棋赌别墅。谢安平时下棋下不过张玄，这天张将军却因心神不安，反而败下阵来。谢安在山上优哉游哉，赏玩着绝佳风景，很晚才回来，之后从容指点将帅……

当张玄等人率军迎敌，谢公却在与人下棋。不一会儿，前线传来报捷书，谢安看了一眼，默然无语，棋照下不误。客问战况，答曰："小儿辈大破贼。"神色举止，不异于常。

棋为心声。谢安弈棋退敌之举便成了某种品格风范、某种精神力量的象征。王谢古居的门楣上，写有几个大字：魏晋风度。"魏晋风度"讲究的便是人的精神、品格、气度。"江东全倚谢家安，雅量形容对弈间。"谢安既为名士，有高世隐逸之志，棋上自有风景，又为儒将，杀敌于阵前，挽狂澜于既倒。治国安邦、从容对弈两不误，这正代表了中国人心目中的理想英雄形象。

当然，在那个时代的英雄故事中，有时难免也染上悲剧的色彩。离秦淮河不远，便是莫愁湖公园，著名的胜棋楼就在那里。

传说朱元璋常与徐达对弈，徐达明显棋高一着，为了皇上的面子，总故意输一点。一次，朱元璋召徐达在南京三山门外莫愁湖畔对弈，并许诺，假若徐达能赢，就把莫愁湖赏给他。一局下来，朱元璋输了，脸露愠色。徐达急忙跪下，口称："万岁，为臣罪该万死，请万岁再观棋局。"朱元璋一看，只见盘上局面呈现出"萬歲"（万岁）两字。朱元璋转怒为喜，把莫愁湖赏给徐达，并传旨在湖畔修了一座楼，取名"胜棋楼"，并赐一联：烟雨河山六朝梦，英雄儿女一枰棋。

能够在棋盘随意挥洒，写下那么复杂的"萬歲"，可以想见两人棋力差距之大。徐达既赢了棋，赢了楼，又恭维了皇上，看起来是两全其美了。不过，敢向帝王争一着，固然是"英雄"，但逞一时之英雄，在那个专制主义的时代，从来就没有过好下场。"今日胜我棋者，明日夺我天下者也。"圣上的名言，也就决定了徐达最终的悲剧。都说棋局如世局，可有时，此局胜彼"局"即输也。有道是："湖本无愁，笑南朝迭起群雄，不及佳人独步；棋何能胜，因残盘误投一子，致教此局全输。"徐达处心积虑，赢了棋但人生却成了一大败局，这正所谓胜即败，得即失也。

"粉黛江山留得半湖烟雨，王侯事业都如一局棋枰。"板桥先生在胜棋楼前书写的这副对联，道尽了历史兴亡之概。不过，在这些英雄的故事中，围棋不过是道具，是点缀。但在现实生活中，却确确实实有一批棋人，他们凭一技之长闯荡江湖，以棋谋生，他们构成了古代的职业棋手阶层。

这些人往往都是在小时候因为某种机缘学得一手好棋，渐渐在家乡没了敌手，遂起远游之心。他们以棋打天下，在棋坛的较量中夺下一块地盘，扬名立万，以棋谋生。就像刘仲甫，本江西人氏，练得一手好棋。他来到临安，在自己的住处挂上一招牌："江南棋客刘仲甫，奉饶天下棋先"，并出银三百两作为彩金。不一会，观者如堵，消息一传十，十传百，传遍了整个临安城。刘仲甫在棋盘上尽展风采，观众对他心服口服，盛情款待十数日，又备下厚礼为其送行。刘仲甫也如愿以偿，北上汴京，终于当上翰林棋待诏。

不过，在中国古代，当某种"艺术"一旦成为职业，操此职业者成为"技艺之徒"，地位便急剧下降。

与此同时，文人们以棋为一种爱好，就像他们喜欢在绢、纸上随意挥洒、笔走龙蛇一样，下棋便成了一种雅尚，一种赏心乐事。文人往往技不如人，索性看淡胜负，于是围棋便有了文人棋和棋士棋的分别，棋士下棋以争胜负为目的，文人却更多地把棋当作精神存在的方式。

苏东坡曾说："平生有三不如人：着棋、喝酒、唱曲。"然而正是于这不如人处，他却有过人之悟。在东坡看来，人生不过以酒寄情、借酒尽兴而已。东坡于围棋也只是粗通，他自称"素不解棋"。有一天，他游于庐山白鹤观时，在古松流水之间闻棋子之声，"欣然喜之"。他的儿子苏过与人弈棋，他坐而观之，竟不以为厌，并作《观棋》诗，以记其事：

五老峰前，白鹤遗趾，
长松荫亭，风日清美。
……
不闻人声，时闻落子。
纹枰对坐，谁究此味？

正所谓与其局上相争，不如退而观之，“胜固欣然，败亦可喜”。喝酒下棋能达东坡之境界者，便是“近道”了。

苏轼被贬黄州，躬耕陇亩，遂以东坡自况。他一边站在赤壁之上吟唱着“大江东去，浪淘尽，千古风流人物”，一边在睡仙亭中亦酒亦歌，酣卧高眠，或者驾扁舟一叶，在江对岸的西山玉泉寺与高僧谈棋论道。春风得意马蹄疾，总是人生一大快事。但现实又常常让人想争胜而不得，郁闷无从排遣，索性退后一步天地宽，向棋与酒中去寻一份洒脱了。

说到下棋，其实还有“半边天”，就是女子围棋。虽然在古代生活中，喝酒、吟诗、下棋，经常是男性的专利，处于边缘的女性却难得“不务正业”。传说南朝时邻近天台的东阳有一女子名娄逞，知围棋，解文义，偏偏生为女儿身，在汉代以来即形成的“博弈，男子之事”的传统下，只好女扮男装，遍游公卿间，还做了官。后来终被揭开真面目，齐明帝强令她重新穿上妇人服回老家去。

据说，为纪念娄逞的不幸遭遇，东阳郡包括与东阳交界的天台一带的人家，女子出嫁都要备围棋做嫁妆，此俗代代相传。当代天台女子围棋的兴盛，大约也是属于一种文化的传承。

围棋对古代的女子来说，归根结底还是一种消闲之物。“满架绿藤新遇雨，子声凉透一枰棋”，正所谓闺房雅戏。

古代女子围棋有一重要阵地便是宫廷。“窗下没将图局按，恐防宣诏下围棋”，女为悦己者弈。“自分身如玉棋子，要将冷暖问君王”，棋成了“邀宠”的一个道具。

古代的不少艺妓也往往多才多艺，色艺双全。在南京秦淮河边的李香香故居里，一间屋子里就摆着古色古香的棋盘棋子，琴棋书画成了青楼女子的招牌。

女子在古代生活中处于从属地位，但在仙界又经常充当了开解人智慧的角色。在天台，就有著名的刘、阮遇仙的故事。说东汉明帝时，剡县有刘晨、阮肇入天台山采药，遇见两位仙姑，遂结为夫妇。两人在仙境中过了半年多，仙女还教会他们下棋。当他们回到人世时才发现已过了七代，物是人非。这构成了中国人常做的桃源梦。在天台县城，就有一尊“桃源双女”的雕像。有意思的是，曾经幽居的桃源仙女而今却是处在闹市，它们构成了一个有趣的画面，仙女终于走向大众，走近芸芸众生。

原载《围棋天地》2006 年第 8 期

棋禅一味

记者们在不同场合拍摄了很多韩国棋手李昌镐的照片，无论是下棋，还是出席各种应酬的场合，他都是一个表情：没有表情。喜怒不形于色，棋上的胜负，棋外的荣辱，仿佛都已跟他没有关系，因此人称他为“石佛”。

这个外号真是传神，石佛，八风不动，心静如水，不以物喜，不以己悲，这是需要多少年修炼才能达到的境界！正所谓棋中自有禅意。

菩提本无树，明镜亦非台；
本来无一物，何处惹尘埃。

慧能，一个曾为樵夫的人，如今在寺里的碓房踏碓，一字不识，却因为一首诗偈，成了禅宗六祖。自心是佛，自性清静，体会到了这一点，便得真“空”。不识字的慧能反而能直指本心，把握了禅的精髓。

禅宗谓“平常心是道”。人生之“迷”皆源于“我”的执着与贪恋，人生之“悟”，即在于“无我”“见性”，清静淡泊。一般棋手，面对事关重大的争棋，往往容易因为名缰利锁的羁绊，患得患失，技术走形。李昌镐却相反，越是关键的比赛，越有稳定的发挥。这大约就是人们说的平常心吧！

有了平常心，方可体味禅的“自然”二字。依心行动，适意自然，行走坐卧，皆是道场，人生自可渐入佳境，正所谓行到水穷处，坐看云起时。围棋亦然。高川格有流水不争先之说。武宫亦认为，与其把他的棋叫作宇宙流，不如叫作自然流。在他看来，他的棋不过是顺应自然，就像流水一般，依山而行，借势取径。大模样是流出来的，不是做出来的。

清代国手施定庵有一次与梁魏今同游岘山，梁指着山下蜿蜒曲折的泉水，对施说："你看到这溪水了吗？行乎当行，止乎当止，任其自然而与物无竞，这正是弈之道啊！"定庵由此得悟，棋艺大进，终成一代国手。

李昌镐的棋，似乎也深得自然之味，大智之后返归平淡，其棋看似朴实无华，难见石破天惊的绝妙之招，但蕴含着极大的内力，足以摧毁任何对手。这正所谓无招胜有招，无为而无不为！

当然，这里说施定庵，说高川格、武宫，说李昌镐，并不是说他们就是禅师，而是想说棋理与禅理本来就可能有许多相通之处。

"车千乘，马千匹，强弩千张，统百万雄师指麾如意；酒一斗，茶一瓯，围棋一局，约二三知己畅叙幽情。"北戴河沈园的这一楹联，典型地体现了中国传统文人士子的生存状态。大丈夫一方面当自强不息，以求立言立德立功；另一方面，社会的混乱又常常使他们空有抱负不得施展，只好退隐山林，寄情于山水泉石、诗酒琴棋，作精神的逍遥之游。围棋，正好切合了士大夫的精神需求。

"林间扫石安棋局，岩下分泉递酒杯"。一卷书，一杯酒，一盏茶，一枰棋，成了文人士子生存方式的一种标志。当然，如果说他们大多选择的是亦仕亦隐，还有一批人，则领悟的是一个"空"字，于是，佛寺的钟声敲起来了，黑白子的丁丁声也响了起来。

在一千多年前的唐代，在江南山水的寺庙间，就曾留下过一批著名的棋僧、诗僧的身影，佛门一派的围棋，一直绵延不绝，构成了一道独特的景观。

山僧对棋坐，局上竹阴清。
映竹无人见，时闻下子声。

棋声破禅机。白居易的这首《池上》，便生动地再现了一幅竹林围棋幽静闲雅、禅意盎然的画面。

佛门多清闲，一天到晚念经礼佛，未免太过单调，棋枰则成了最好的打发光阴之物，如果还能从中参禅悟道，岂不一举两得。弈棋台上，松风流水中，“棋子每随松子落，柳丝常伴钓丝悬”，自有一种幽深清远的林下风流。禅宗追求的是一种自然、适意、清静、淡泊的人生，而在审美情趣上，则趋向于清、幽、寒、静，它影响了中国士大夫的人生哲学、艺术情趣，也影响了围棋的境界与意趣。

琴令人寂，棋令人闲，闲的更重要的是一种心境。棋的胜负倒不是第一位，关键是能否从棋中品出一种别样的滋味。就像喝茶，茶的味道无法用香、苦、涩、甘之类来概括，而在一“清”字，“清”得之于“心”，须在“静”与“闲”中品得。清泉幽谷，松间林亭，得两三素心人，长日清谈，怡然自乐，正可谓“可抵十年的尘梦”。

茶有“茶道”，棋有“棋道”，“茶炉烟起知高兴，棋子声疏识苦心”，棋之道，也正在于清幽淡雅中一解尘俗烦忧，喝茶下棋之间便有了深意。

“共藏多少意，不语两相知。”禅宗把人生的烦恼与解悟，都放在一个“心”字上，以平常之心，看世事纷纭，“采菊东篱下，悠然见南山”正是人生的一种境界，人生如此，棋何尝不是这样。

古代的许多寺庙道观，都曾留下过围棋的踪迹。其中最为有名的当数浙江的天台山了。天台被称为佛国仙山，也是全国知名的“围棋之乡”。浙东“围棋三连星”马晓春、陈临新、俞斌，他们的家乡分别是嵊县、临海、天台，以天台山为中心，三足鼎立，共饮石梁飞泉。

天台山北接四明，南连雁荡，东临溟渤，西衔括苍。有人把天台山比作一天然大棋盘。最高峰华顶谓“花心之顶”，犹如棋盘上的“天元”。登上峰顶，四望空无一人，唯重峦叠嶂，此起彼伏，如千叶莲花，如星罗棋布，远到天的边际。

天台为佛教天台宗的发祥地，禅宗也颇为兴盛，素有“东土灵山”和“教源”之誉。国清寺就是一座著名的佛寺。它始建于隋，后几度重修，既是天台宗祖庭，又一度成为禅宗圣地。

明代，国清寺出过一棋艺高超的佛僧，名野雪，俗姓郑，人称“郑头陀”。野雪以棋悟道，“蕉团坐隐静皈依，十九行中喻法微。”于蕉团中“坐隐”，如同归心向佛，十九路棋盘中自有微妙法门。

天台的美景使人悠然神往，也让仙界中人怦然心动，引来五百罗汉隐匿于此，其后人们在石梁山谷为他们修建了三座寺。上方广寺据说在1977年毁于一场大火。中、下方广寺隔着石梁飞瀑，遥相呼应。

据说，唐代著名诗僧、棋僧贯休就曾长期在这一带的山水间修持。他是否在石梁水边下过棋，我们已无从查考。但他的法号是“禅月大师”“得来和尚”，琴棋风月，“琴弹溪月侧，棋次砌云残”，正宜在此间山水中。“棋信无声乐，偏宜境寂寥。”佛门清静，山水亦佳，于寂寥的境界中自有无声之乐。

仙界一日内，人间千载穷。
双棋未遍局，万物皆为空。
樵客返归路，斧柯烂从风。
唯余石桥在，独自凌丹虹。

孟郊这首诗中的“石桥”，被指认就是石梁飞瀑上的这座天然石桥。晋代樵夫王质上山砍柴，看仙人下棋，一局未终，斧柄已烂，回来时，已不复当时之人。一般认为，故事的发生地是在衢州的烂柯山，不过许多地方都有类似的传说，包括天台。

其实，故事发生的地点并不重要，倒是从中反映的国人普遍的“遇仙”情结，令人回味。人一方面要依托于现实，另一方面又受到现实关系的种种束缚与桎梏，有着种种的痛苦和烦恼。围棋作为精神层面游戏的艺术，便为人提供了一个由凡俗走向人生自由之境的途径。黑白世界是一个虚拟的世界，又是一个可以供你自由挥洒的世界。在这里你可以体验到如神仙一般的快乐。于是，烂柯传说作为一种超现实想象构成了中国人一个永远的桃源梦。

原载《围棋天地》2006年第7期

棋行天下

西安，古称长安。历史上曾有十四个朝代建都于此，其中又以汉、唐为鼎盛。大唐时期威震海内的强盛国力和海纳百川的恢弘气度，使长安成为当时一块世人景仰的文化高地。长安一片月，万户棋子声，日渐繁荣的围棋，此时也随同文明古国悠久灿烂的黄土文明一道从这块高地向四处蔓延，开始了它的天涯之旅。

西安古城墙西门外，矗立着一座雕塑，举世闻名的“丝绸之路”便是以这儿为起点的。当年，羌笛杨柳间，多少西天朝圣的僧侣，戍守边关的甲胄，仕途落魄的官宦，运送丝绸、茶叶与瓷器的商队，就是从这里启程，西出阳关，消失在黄尘古道的尽头。大漠孤烟中那空旷的马蹄、驼铃声里，间或也听得到棋子丁丁的声音。

距长安不远的安西榆林窟中，有一幅《五代对局图》壁画，它生动地再现了隋唐五代时期西域人下围棋的真实场景。

再往西，从吐鲁番阿斯塔娜唐墓中出土的文物中，我们又见到了这幅《围棋仕女图》，墓中之人无疑是位好弈者，家人念她生前喜好，才画绢入墓。

令人瞠目的远远不止这些，二十世纪初叶，沉睡了一千多年的莫高窟被那位王道士打开，源源流往世界各地的经卷中，就有一卷出自北周的《棋经》。当国人发现它的价值时，它已在大英博物馆静静地躺了半个多世纪了。可以想象，围棋这一产自中原的瑰宝，是怎样沿着这条“丝绸之路”越走越远的。

西行途中往南一拐，过青海湖，穿越唐古拉山，围棋进入了西藏，与当地的“吐蕃文明”融合，形成了一种叫“密芒”的藏棋。“密芒”在藏语中的意思是“众多的眼睛”，于是藏棋又称为“多目之棋”，不仅可供娱乐，还用来算卦和占卜。藏棋棋盘为十七道，开始对局前，要在棋盘上摆好十二个子，黑白各六枚，交叉摆放。在漫长的岁月中，藏棋的下法和规则竟一成不变，这倒成为我们追溯围棋源头时一份活的标本。

围棋之流并未就此打住，在西藏稍作停留，它又翻越世界屋脊，一路西行，一直到达欧洲。十六世纪，欧洲著名传教士利玛窦写过一本《中国札记》，其中就有关于围棋的记载。

如果说，围棋的西行还只是溯流而上，且停且走的话，它的东游，倒是一路滔滔，在太平洋的几个岛屿中成了洋洋大观。

大唐盛世，长安成为亚洲最繁华的国际化都市，来自日本、朝鲜半岛等地的使臣、留学生、僧侣、乐工、画师、舞蹈家纷至沓来，他们在这里学习先进技术，摄取文明养分，其中就包括围棋……

一般认为，围棋至少在南北朝时就经由朝鲜半岛传入了日本，当然，中日之间围棋的直接交往已经是到唐代了。唐玄宗就多次与日本学问僧辨正切磋棋艺，据说五代周文矩的那幅《明皇会棋图》，其中有一人就是辨正。而唐宣宗时，日本国王子入唐，与中国国手、棋待诏顾师言进行了一次比赛。顾师言第三十三手以镇神头制伏日本王子。这应该是有史记载的中日国手间最早的一次围棋比赛了。

围棋东渡，立即受到日本上流社会、皇室贵族、僧人武士们的喜爱和推崇。发萌于中国的围棋，漂洋过海，在这樱花盛开的国度找到了适宜的土壤。

又过了数百年。日本江户幕府时期，也就是中国明朝万历年间，日本完成了从农耕社会到封建社会的转型，大和民族对输入文化兼容并蓄和为我所用的民族秉性在围棋的发展上再一次得到印证。日本着手对中国传统围棋进行了重大改造：废弃了沿袭了数千年的座子制，改为自由落子，这一改革，极大地丰富了围棋的变化，对围棋的理论和技战法产生了深远的影响。在围棋的职业化、制度化上，设立专门的棋界管理机构——“棋所”，并授予算砂等七名棋士终身的可世袭的优厚俸禄，日本棋坛本因坊、井上、安井、林四大围棋门派由此产生。宽永三年，又确立了“御城棋”制度，每年 11 月 17 日，四大门派在江户城纹枰论棋，一较高低。元禄时代，在本因坊道策的主持下，日本确立了段位制，同时确定了各段位间对弈的规则，建立了完备的管理体制和竞赛机制。

至此，围棋在日本完成了从古代围棋到近代围棋的转型，棋坛各门派竞争激烈，江湖高人辈出，围棋的理论研究和技战术水平飞速发展，日本围棋从此走上了兴盛之路。

与此同时，中国古代围棋在范西屏、施定庵时代达到顶峰之后，却开始走下坡路。偏偏在此期间，中日交恶，围棋交流几乎停滞，这种人为的阻隔延缓了中国围棋变革的步伐。

高部道平这个名字对中国棋界来说，既是心中永远的痛，又是眼前的一道亮光。正是这位日本职业四段的棋手，揭开了近代中日围棋交流的序幕。

1909 年，高部道平来华以棋会友，在北京、保定、上海、南京、济南、青岛等地横扫华夏棋坛，将当时中国所有围棋国手全部打至让二子以上。当北洋军阀段祺瑞将其奉为“天下第一高手”时，高部实言禀告：“在日本，我尚属无名之辈，有本因坊能让我二子。”此言一出，中国棋坛为之震惊，这才意识到：洞中方七日，世上已千年，自以为独步天下的中国围棋，已被日本远远地甩在了后面。

高部道平以及后来日本第一高手本因坊秀哉的访华直接引发了中国围棋的变革，中国棋界知耻而后勇，“励勇武之精神，挽颓孱之末俗”，急起直追。当然，这是后话了。

近代日本围棋的突飞猛进，使终年积雪的富士山成为各国棋手心中的“圣地”，他们踏波蹈海，赴日研修，有的面壁十年，呕心沥血，终成叱咤棋坛的一代风云人物，有的则艺成还乡，在自己的祖国推广普及围棋，被誉为“韩国围棋之父”的赵南哲就是后者的典型代表。

二十世纪初，年轻的赵南哲在日本学成回国，立志将围棋的火种播遍朝鲜半岛。这位有识之士推着手推车，载着棋子棋书，吱吱呀呀，走街串巷，向韩国民众推介围棋。谁曾想到，一部小推车，竟推出了韩国围棋的一片天地。

今天，围棋在韩国的普及程度甚至超过了中国和日本。在首尔，围棋人口已占到的总人口的四分之一，许多学校实施了正规的围棋教育，明知大学还设有正式的围棋本科专业与硕士学位点，电视台有专门的围棋频道，浓郁的围棋氛围催生了一批又一批世界级的优秀棋手。在第一届“应氏杯”世界职业围棋锦标赛上，曹薰铉力挫群雄，夺得冠军。继他之后，天才少年李昌镐横空出世，独领风骚……一时间，世界棋坛“韩流”滚滚，韩国围棋以惊人的速度崛起，与中国、日本形成三足鼎立之势。

当今的世界正日益走向综合化、一体化和全球化。发达的传媒资讯，快捷的交通工具以及现代人宽阔开放的胸襟，使世界文化潮流呈现出高度融合的大势。“和而不同”便是这一大势中共同的文化价值取向。

任何先进文化输出后，就不再只属于它的母地。它在整个地球村里漂泊、游弋，与其他文化共存共荣，和谐相处。当遇到适宜的土壤气候，便在那里生根开花，与当地的本土文化相融汇，上升为一种更高层次的文化形态，影响全世界，包括反刍它的宗主国，这是整个现代文化交流中的普遍现象。

指南针、印刷、造纸术都是中国发明的，却在西方工业文明中得到提升、改造和应用。

乒乓球、羽毛球的故乡原本在大西洋中的英伦三岛，却在中国完成了它脱胎换骨的变革和日新月异的发展。

围棋也是如此。它的故乡在中国，却在日本得到改造、完善和发扬光大，而今，它又以崭新的面貌，在更大的范围、更高的层次上影响着世界。传统的三国鼎立演变成多元格局，在世界大赛的舞台上，各种不同肤色的人同台论道，在中国的围棋联赛赛场也出现了外籍棋手的身影，在东南亚、在北美洲和南美洲、在欧洲，围棋的星星之火成燎原之势。

当我们以崇敬的目光注视着的吴清源、赵南哲、芮乃伟、林海峰这些围棋行者们的身影在世界各地频频闪现时，也分明看见，这黑白相间的围棋子，已经超越了国界，超越了民族，甚至超越了语言，有如飘飘洒洒的音符，撒落在九天寰宇之间。

原载《围棋天地》2006 年第 10 期

棋里棋外

都说人生如棋，棋如人生。大千世界都浓缩在了小小棋盘中。有人从中看到的是胜负，有人把它当作精神的游戏，有人读出的是哲学，是人际交往，是东方思维，是管理与谋略，或者说就是一种人生之道。出入棋里棋外，感悟黑白人生，围棋也就有了万千的气象，丰富的色彩。

来自泰国的蔡绪锋先生著有一本书《东方 CEO》，封面上印了这么几行字：

老子：无为而治
孙武：不战而胜
围棋：谋略之道
从古老经典智慧
成今后管理学术

中国传统文化中有许多经典智慧，如老子哲学，孙子兵法，黑白围棋……蔡绪锋先生都把它们融化在了东方式管理之道中。作为泰国正大集团副董事长、首席执行官，人们把他称为东方 CEO（首席执行官）。而作为围棋业余 5 段，他曾七次代表泰国参加世界业余围棋锦标赛。作为泰国围棋协会会长，他在曼谷市中心开办棋室，组织各种比赛，在电视、报纸等各种媒体上推广围棋，使泰国这样一块围棋处女地如今拥有了近百万棋迷，蔡先生由此被称为“泰国围棋之父”。而作为世界华人围棋联合会会长，而今他又雄心勃勃地开始了把围棋推向世界的事业。

如果把蔡先生定位成一个成功的企业管理家，那他对围棋的投入就有点儿“不务正业”了。但恰恰是围棋给了他许多的启发。蔡先生把围棋称作一种“谋略之道”：

> 围棋是唯一一门把整体格局浓缩呈现在一个小小棋盘上的策略艺术，它能教人懂得相互影响和长远效果的整体意识……一心只想取胜需要付出很高的代价，结果往往弊大于利。越是能忍并且忍得越久的人，越有机会成为胜利者……所以企业应该把有限的人力资源组织起来，提高基本素质，以超越竞争对手，而不是去消灭对方。真正的胜利，是达到工作目标，而不是战胜对方。“不为争赢而取胜”，这是看不见的哲学。

能够将棋道与管理之道如此融合在一起，在经营中运用棋艺，在棋艺中融进管理的理念，这大约就是蔡绪锋先生的成功之道吧！蔡先生把围棋称作他的“恩师”，是围棋磨炼了他的思维与意志，而他从围棋中领悟的，如注重“整体意识”“忍耐为上”“不为争赢而取胜”“变化从虚无中产生”，又何尝不是东方哲学之道，这也就是“东方 CEO”的独特之处吧！

> 正当西方人努力探索东方法则之际，我们东方却盲目地追随西方，跟到精疲力竭的时候，回过头来才发现，我们跑到了祖先们曾经立足的地方，也正是我们一直努力逃避自己的地方。

围棋能带我们返回那曾经的立足之地吗？

我还要介绍一位美女棋手——徐莹。作为棋手，徐莹的成长之路是顺利的，曾获得的那些大大小小的奖杯，也预示着她再努力一把，再往前迈一步，就有可能进入世界女子一流棋手的行列。但是，就在这个坎上，她的脚步慢了下来。

原因可能很多，有一点儿却无法回避，这就是她的美丽。

2003 年，在全国围棋乙级联赛上，浙江新湖美女围棋队的出现，成了赛场上一道最亮丽的风景。

而徐莹，她的端庄秀丽的外形，她的气质，还有作为北京人的语言优势，使她与电视媒体有了天然的缘分。她在中央电视台第一次讲棋，起初还有些拘谨，但很快她就适应了聚光灯下的表演。她与华以刚讲棋时，两个不同的角色之间珠联璧合般的配合，使棋迷懂得了什么叫“口谈”，什么是默契。以后，她又开始主持各种围棋专题节目，徐莹头上便多了一顶帽子：电视节目主持人。

接着，徐莹又筹划成立了弈友文化传播公司，制作围棋节目，传播围棋文化，从事各种与围棋相关的经营活动，透过徐莹忙碌的身影，我们仿佛看到了未来的“东方 CEO”。

为了充实自己，徐莹走进了北大的课堂，成了法律系的一名学生，后又被保送北大新闻与传播学院，攻读研究生。当北京大学决定开设围棋文化课，徐莹又作为围棋教师走上了北大讲台。未名湖畔，烟雨楼阁，红墙碧瓦，茂林修竹，那一份古雅与幽静仿佛就是属于围棋的。徐莹在课堂上不仅要指点棋艺，还要讲授围棋文化。这传道授业解惑的声音透过窗户回响在北大的上空，于是，我们也就仿佛在树阴下，在宿舍里，在大学生比赛赛场的落子声中，听到了它的回声。

2004 年 6 月，徐莹又成立她的围棋俱乐部。俱乐部在海淀区的一个会所里，幽静的环境，雅致的装饰，与棋相关的字画，还有那古朴的棋桌棋子……“忘忧清乐在枰棋”，使人流连忘返。

从职业棋手到电视节目主持人、围棋教师，直至成为围棋经营者，徐莹完成了她人生的一次次超越，这同时带给她许多的人生体验，作为职业棋手的徐莹，大约对棋之道也就有了更多的领悟吧！

当徐莹游走于棋里棋外之间，体验人生百味之时，有一位奇人，他从棋外一头扎进黑白世界，从此只为围棋而活着了，这位棋痴就是《围棋报》社长王振华。

1988 年 3 月 14 日，中国第一张《围棋报》诞生了。这是一张八开四版的小报，报头与标题虽然套了红，但仍掩盖不了朴素中的寒酸。它的出生地也很不起眼——湖北长江边的小城鄂州。经费当然是自筹的，王振华从家里把仅有的一千元存款拿出来，哄妻子说托人存八年定期，到时可翻一番。这钱便充“公”成了《围棋报》的第一笔开办费。

一个人与一份报纸，王振华的人生就这样与《围棋报》联系在了一起。

《围棋报》从四版到八版，再到十六版；从黑白到彩色；从一年只有几期，到双周报、周报；从群众自筹办报到政府拨款定编，再到公开发行，拥有越来越大的读者群，《围棋报》一步一个脚印，走到了今天。

而这每一个脚印中，都有着王振华的汗水甚至泪水。看他架着厚厚的镜片，永远着那身朴素的衣服，以匆匆的脚步奔走在熙熙攘攘的大街、各色办公楼里，就可以想见他为此的付出。他可以为了让报纸获得中国棋界领导人的支持，在武汉洪山体育馆门前忍饥挨饿等上九个多小时；为了见到忙于赛事的聂卫平，在北京车站候车大厅熬上七天七夜；当历尽千辛万苦把全国围棋赛拉到鄂州，他又在体育场弄出一个两千五百平方米的世界超级棋盘，用竹片编成了直径达二点五米的棋子，这成了一项世界吉尼斯纪录。

这一切，都是为了围棋。

“让我们携起手来，为振兴我国的围棋事业同唱一曲进军曲！”《围棋报》发刊词中如此说。

去已搬到武汉的《围棋报》编辑部采访，编辑部的简陋让我们大吃一惊。一社之长的住处就在一阳台上，一行军床、一衣柜、一桌、一棋盘，就是全部的家当。

来到鄂州，去王社长家，面对水泥地面、斑驳的墙壁、简单的家具，我们又一次惊讶了。

而今，《围棋报》终于鸟枪换炮，在武汉宏宇集团的办公大楼里有了自己的新家。王社长在他宽敞的办公室里，开始筹划《围棋报》的新生之路。那天，我们又一次来到武汉，爬上黄鹤楼，全城尽收眼里。山、水、桥、城融为一体，大江东去，“孤帆远影碧空尽，唯见长江天际流”……王社长与他的《围棋报》，也会像这江水一样，奔流不息，越走越宽广吗？

摆在面前的这部书稿，题目叫《游戏黑白》，作者是洪洲。游戏便决定了这本书的定位。作者写自己对围棋的痴迷，写棋迷众生态。游戏，反而使围棋的快乐得到最大限度的发挥，而写作，也就成了快乐的精神之旅。

二十世纪八十年代，中日合拍的一部《一盘没有下完的棋》引起轰动，也让作为编剧之一的洪洲家喻户晓。

拍完电影，洪洲被推上首都文艺界围棋联谊会秘书长的位置，没有任何报酬，他却乐此不疲，首都文艺界的围棋活动热闹起来。每年的中日文坛围棋交流，他又做起了全程陪同……

当这一切都成往事，洪先生退休，回到自己的斗室，开始了人生的一段新的旅程。他自称五十九岁学电脑，六十三岁练开车，六十七岁上网下围棋。“网上放浪老来狂”，一边在围棋论坛上粘贴他的《游戏黑白》，一边在清风、新浪展开黑白大战，还做起了灯笼论坛《弈人呓语》的版主，接着又做起了个人围棋网页……他自号梦中棋痴、黑白顽主，江湖中人都亲切地称他为洪哥、阿洪。

看阿洪在网络上与一帮年轻人打得火热，方始明白什么叫人生第五季。人生六十为一轮回，洪哥返老还童，桃花开了在冬天，腊月听蝉鸣，这正所谓繁华落尽，回归人生的本真。老子说：“能婴儿乎？”看阿洪的头像，一个光屁股的幼儿对棋盘而坐。想想他那不时闪现的一颗童心，不禁觉得这道风景中有了些许的禅意。

探索白黑天地界，游来戏去四海家，洪洲在他的黑白斋中快乐地嬉戏，在方寸之地中玩得不亦乐乎，真是让人羡慕。而今，他又壮心依旧，在“天地间”做起了“特约寨主”，广纳天下文士，纵论黑白之道。那天，给他打电话，问他做寨主的感觉如何，他说挺好挺好，天地间有了围棋会所，让我也过去溜溜！

于是，我便经常期待着那一天早点到来。

“棋一局，茶一杯，书一卷，好友若干，脚步慢一慢，品味天地间。”棋里棋外，也就有了无尽的意味。

原载何云波新浪博客

黑白之魂

当古老的围棋穿越时间的长河，从远古走来，当晶莹的黑白子穿过大海，穿过茫茫戈壁，从中国走到日本，走到韩国，走向西域……历史沧桑，岁月轮回，在棋盘上留下斑斑印迹。不同的民族，各样的人生，演绎着凝重而多彩的棋局。小小黑白子，吸纳山水之灵气，闯进亿万人的心灵中，也就成了精，有了魂。

1938 年 6 月 26 日，本因坊秀哉名人的告别赛在芝红叶馆举行了开棋仪式，对手是经过选拔赛打上来的木谷实七段。比赛从箱根到伊东，几易对局场地。中途因名人生病休战三个月，断断续续下了十四回，至 12 月 4 日结束，历时近半年。比赛以名人执白 5 目负告终。一年后，名人寂寞地离开了这个世界。

在告别赛进行过程中，作家川端康成自始自终不离棋盘左右，关注着棋局的进程。这局棋给他以极大的震撼，经过许多年岁月淘洗、打磨，终于有了那部著名的小说：《名人》。

小说写道：“日本武道和艺道的精神是息息相通的，同宗教的教义也是息息相通的。围棋是最好的象征。”小说要表现的恰恰就是围棋中所蕴涵的武道和艺道的精神。

日本武道的精髓在于刚毅果敢、坚韧不拔、永不屈服。秀哉名人又瘦又弱，体重仅八十来斤，但一坐到棋盘前就成了武士，一股威猛之势扑面而来，尽管他当时已是疾病缠身。在名人看来，作为棋手，下好一盘棋就像是完成一件杰出的艺术作品，哪怕“就是死在棋盘旁，也是出于棋手的本愿”。他将整个身心投入到其中，每一颗棋子，都被赋予了情感，流动着，名人的生命也就在棋盘上获得了延续。这是竞技，也是美的创造。生命，显示出一种无法形容的美。

川端康成正是被这种“无法形容的美”感染了。秀哉的棋道修养，他的斗志，他将围棋艺术与生命追求融为一体的境界，也是川端康成本人所憧憬的人生。

美国社会学家本尼迪克特有一本研究日本人的书《菊与刀》。在他看来，日本文化既有菊的优雅，又有刀的勇武，并且这看似矛盾的两面，又能奇妙地统一在一起。围棋，同样体现了这一特点。茶有茶道，花有花道，棋有棋道。樱花纷飞，茶香袅袅，手谈一局，在恬淡清寂中自有一种优雅之美。但当棋手一旦坐在棋盘上，他们又成了以性命相搏的武士。于是，在日本围棋史上，又出现了一幕幕激动人心的壮烈悲剧：

三世本因坊道悦向已当上名人棋所的安井算知挑战，要与之擂争六十番胜负，并发誓：“倘若败下，情愿接受流放远岛的刑罚。”

幻庵的弟子赤星因彻代师出征，挑战“铁腕”丈和名人，因回天乏力吐血而亡；

桥本宇太郎与岩本薰在广岛原子弹爆炸时正在下棋，当门窗被震碎，屋内狼藉，桥本被抛出室外。他们只是简单地收拾了一下，又投入到棋盘上那场不见硝烟的战斗中；

赵治勋在棋圣战决战时遭遇车祸，他起誓：“我就是爬也要爬到赛场！”于是，我们便看到了坐着轮椅，头上缠着绷带，与小林光一搏杀的赵治勋。这一刻，我们也明白了，赵治勋为什么被称作“斗魂”。

赵治勋虽在日本长大，成名，他的根却在韩国，他身上有着深深的韩国印。韩国民族在历史上的劫难，似乎造就了这个民族高度的凝聚力、顽强的意志和永远不屈服的精神。赵治勋呈现了韩国人在体育竞技场的那种可怕的斗志，那种坚韧不拔的精神。

韩国棋手大概是把棋盘当作了足球场，他们执着地战斗，玩命地拼搏，时刻准备发出致命一击，不到最后一刻绝不言败。当日本棋手在本格、求“道”中日益走向自我封闭时，韩国棋手却敢于打破一切条条框框，棋盘便成了生命、个性、才情自由挥洒的舞台。

“战神”曹薰铉便是这舞台上的一棵永远不老的青松。在国内，他与徐奉洙、与弟子李昌镐、与那些如狼似虎的新生代棋手展开一轮又一轮的决斗。面对曹薰铉，中国棋手从聂卫平、马晓春、常昊到古力、孔杰等，四代棋手轮番冲击，早生华发的曹薰铉却始终挺着他的那支快枪，巍然屹立。我们从不屈的曹薰铉身上能探测到一点儿韩国围棋崛起、兴盛的秘密。

人是需要一点精神的，棋何尝不是这样。

二十世纪的中国围棋就是中华民族的一个缩影——背负着曾经有过的辉煌，面对积弱的现实，在艰难的跋涉中寻求振兴之路……

当中日围棋交流中日本棋手在赛场上闲庭信步，当伊藤友惠老太太横扫中国须眉，中国棋手在耻辱中开始了追赶的历程。人活一口气，逆境似更能激发人的斗志与潜力。在一步一个脚印的追赶中，终于有了陈祖德的崛起，有了聂卫平刮起的擂台旋风。

北大荒的天空很高，北大荒的天空很蓝，北大荒的土地肥沃而宽广，尽管它滋润不了围棋，却使心系围棋的聂卫平知道了什么叫宽广的胸怀，什么是棋盘上的大气，知道了如何在艰苦的环境中保持自己的品格与韧性。聂卫平就像一个来自大漠的武士，登上中日围棋擂台，成就了神奇般的十一连胜。时过境迁，他在《我的围棋之路》中自述其围棋与人生之路。浪迹天涯为围棋的执着，北大荒的艰苦磨炼，对围棋的那份刻骨的相思，为了围棋做什么都无怨无悔……有了这一切的付出，还有什么是不可征服的呢？

我们面前摆着另外一本书，陈祖德的《超越自我》，陈祖德他们那一代的"抗日"事迹本来就有许多可歌可泣之事。而在胜负世界之外，《超越自我》更昭示了另外的人生内涵。

当陈祖德终于战胜病魔，战胜自己，他写道：

> 我已经"死"过一次了，我体味过失去这个世界的滋味，我充分地享受着重新获得这个世界的欢乐！

我的心脏在我的虚弱的身子里强烈地跳动着……

作者称超越自我是他所渴望的一种人生境界，又是一个没有止境的艰难历程。浮士德在不断的自我超越中祈求人生的那个永恒的美的瞬间；西西弗斯在每天推石上山的单调而无用的劳作中体验到一种让人落泪的幸福；两千年前的屈原也在漫漫长路中上下求索，虽九死其犹未悔。假如每一个棋手也都能不断地修炼自己，超越自我，而不满足于暂时的胜负、得失、名利、享受，不故步自封，那棋手的人生也就会多一些厚味，中国围棋也就会有自己的“精、气、神”。

当然，超越自我，不光是精神、意志，更需要一种境界。说到棋与人生的境界，便不能不提到一代大师吴清源。

1928 年，十四岁的吴清源东渡日本，开始了人生漂泊的历程。吴清源自称是个“国际游民”，游弋于中日文化之间，吸收中国与日本围棋文化的养分，兼收并蓄，在吸收“主流文化”长处的同时，又保持了来自边缘的客观性、超越性、批判性，最终成就了他在棋盘上的伟业、人生中的大修为。

人们常常津津乐道于吴清源在胜负世界中的成就。他在历时近二十年的“十番棋”大战中，将当时日本所有的最强者打得全部降了一格，由此得了个称号：十番棋的吴清源。

但吴清源的意义又早已超出了胜负。在贵阳围棋文化节开幕式的开棋仪式上，吴先生将第一手棋放在了棋盘正北中间的那个星位上，据说乃是源于易卦的“天一生水”。在《五环夜话》的录制现场，听他侃侃而谈。快进入九十的老人，一进入围棋世界就变得生气勃勃。两个多小时，毫无倦意，谈棋道，谈人生，谈二十一世纪围棋，似乎他的整个身心也与围棋融为一体了。

吴清源的可贵在于他既是棋盘上的胜负师又是一个思想者。胜负师易得，思想者难求。

绚烂之极归于平淡的吴清源，像一个天真的孩童，执着于一种游戏，全身心投入其中，自得其乐，游戏中也就有了源源不断的灵感、创造，有了对围棋之道更深一层的领悟。

吴先生从小熟读中国经典书籍，晚年潜心于二十一世纪围棋的研究。在他看来，围棋既是一种胜负的游戏，又体现了“中和”之道。天地东南西北的调和，就是围棋。这是棋道，也是一种精神之道、中国文化之道。

“经一生的磨炼，在棋中悟‘道’，在宗教中达‘理’，修成文武双全、人格和谐，性灵与日月同光”，先生在其自传《天外有天》中的最后一句话，昭示的也许正是我们苦苦追寻的黑白之魂。

原载何云波新浪博客

第二辑

诗路棋迹

悠然可有棋?

艺术是一条河。这条河由许多的细流构成，有诗，有歌，有书，有画，当然也有棋。

“关关雎鸠，在河之洲，窈窕淑女，君子好逑。”这是在春秋那个混乱又相对自由的时代里，人们情感的大胆袒露。

围棋呢？尧造围棋，教子丹朱，这当然不可信。但在春秋时代，在《左传》《论语》《孟子》等典籍中却确确实实留下了棋的踪迹。

有一天，诗与棋终于汇合了。虽然，那已经是到了汉代。

目前所见最早的涉及围棋的诗，是汉乐府歌辞中的一首《古歌》：“上金殿，著玉樽，延贵客，入金门……主人前进酒，弹瑟为清商。投壶对弹棋，博奕（弈）共复行……今日乐相乐，延年寿千霜。”这首诗反映的是贵族豪门宴乐的情况。这里有酒，有乐，有投壶，有弹棋，有六博，有围棋。当然，也就仅此而已。围棋作为其中的一种游戏，并无特殊的意义。

时间又过去了几个世纪。南朝宋时的郭茂倩编了本《乐府诗集》，有一组《读曲歌》，我们从中读到了几首与围棋有关的诗：

其一

坐倚无精魂，使我生百虑。
方局十七道，期会是何处?

其二

计约黄昏后，人断犹未来

闻欢开方局，已复将谁期？

其三

执手与欢别，合会在何时？

明灯照空局，悠然未有期。

《读曲歌》是南朝宋时民间流传的吴声歌曲，内容多以爱情为题材，诉男女期会之欢，别离之愁，相思之苦。有意思的是，上面三首诗，竟不约而同地把围棋当作了一种表情达意的工具。

第一首诗中，一个女孩子，在想着她心中的那个人，坐立不安，六神无主。这时就更容易胡思乱想，杂念丛生。以纵横交错的棋局来比拟陷入情网中的女子等人时百忧千虑、错综复杂的心情是非常到位的。人们都说爱情就像一张网，不小心就让你陷到了网中央。“天不老，情难绝。心似双丝网，中有千千结”（张先《千秋岁》），爱情之网中所结成的心结是怎么也解不开、拆不掉的。棋法阴阳，道为经纬，以之比人的心情，可谓恰如其分。而“方局十七道”，也为考察当时围棋棋盘的制式提供了重要的依据。

等着，等着，终于有了结果，两人定下了一个相会之期。月上柳梢头，人约黄昏后。可是，空欢喜一场。“朝与佳人期，日夕殊不来”，那曹丕《秋胡行》中的男子所遭遇的伤心事，也让这位女子碰上了。左等右等，夜深人静了，那该死的冤家却连个影子都没有，咋办？以下两句就有点儿歧义了。一解是终于听到了那冤家的声音，两人开棋局，以棋传情，下一句，“已”为语首发端词，无义，“复”为“又”“还”之义。整句意为：“还能再等谁呢？”不过也有另一种可能：“听说那冤家正在那里下棋，是不是在等另一个人呢？”

接下来，就是两个人要分别了，不知何时才能再相聚。只有那灯照着空空的棋盘，“悠然未有期”既可以取其谐音，意谓“油燃而无棋”，又可以指其本意，言与情人会合遥遥无期。

三首诗合在一起，就像一部言情系列剧！有等待，有期会，有失落，有分离……处处以棋言情，一方面客观上反映了围棋在当时民间的流传情况。诗中借物取譬，这“物”一般应该是社会上广泛流传，大家所熟知的东西，这充分说明了围棋在当时社会各阶层中的普及程度。另一方面，从艺术上说，《读曲歌》也充分体现了民歌的特点，感情深挚热烈，表达坦率直接，语言浅白平易，多谐音双关，最典型的是“期”与“棋”字始终可互训。以“方局”“空局”做铺垫，感物起兴，“期会”又何尝不可以是“棋会”，“未有期”也自然可解作“未有棋”了。将人的情感与棋融合在一起，棋也就具有了无限的风情。而情与棋结合得如此天衣无缝，无任何斧凿痕迹，这种自然天成之美正是民歌的魅力所在。

清水出芙蓉，天然去雕饰。可惜这种单纯而素朴的诗歌，越到后来就越少见了。

原载《围棋天地》2004年第8期

终弈且留宾

南北朝可说是中国围棋的第一个兴盛期。南朝历宋、齐、梁、陈四代，历代都不乏好弈的皇帝。上行下效，自然带动了围棋的流行。围棋州邑和棋品制度的建立，便可见棋之地位。

奇怪的是，尽管魏晋以来好棋的文人士大夫不乏其人，有关围棋的文、赋也不断出现，吟咏围棋的诗却很少。即便如《读曲歌》中写到围棋，棋也往往只是一种道具。而像庾信的“复局能悬记，看碑解暗疏”（《奉和永丰殿下言志诗》），王筠的“所恐恩情改，照君复寻棋”（《咏蜡烛》）等，也都仅仅是在诗中提到棋而已。应该说，只有以围棋本身为描写主体，将诗与棋结合起来的，方算真正的围棋诗。

以这个标准来衡量，南朝真正的围棋诗也就只有刘孝绰的那首《赋咏得照棋烛刻五分成》了。全诗如下：

南皮弦吹罢，终弈且留宾。
日下房栊暗，华烛命佳人。
侧光全照局，回花半隐身。
不辞纤手倦，羞令夜向晨。

诗的作者刘孝绰（481—539 年）为彭城（今江苏徐州）人，在南梁时做官，官至秘书监，有文才，其诗不脱六朝诗歌的绮靡之风，这首咏围棋的诗也不例外。如果说《读曲歌》体现了民歌风格，这首诗则可称得上那个时代文人棋诗之代表。

先说诗题。“照棋烛”，指夜弈照棋之烛。“刻”即刻烛作诗。《南史·王僧儒传》曰：“竟陵王子良尝夜集学士，刻烛为诗，四韵者则刻一寸，以此为率。”刻烛限时赋诗不算稀奇。刻照棋烛，一边下棋，一边赋诗，棋兴与诗情相得益彰，则可称得是刘氏的一大创举了。特别是既然可刻烛作诗，是否也可以刻烛限时弈棋呢？真要这样，那也就开了中国古棋限时制之先河了。

再来看正文。“南皮”，县名，即今河北南皮县，“弦吹”，泛指弦乐管乐。魏文帝曹丕《与朝歌令吴质书》曰：“每念昔日南皮之游，诚不可忘，既妙思六经，逍遥百氏，弹棋间设，终以六博。”种种欢宴刚结束，兴犹未尽，又摆开了棋局。这里的“终”为“既”“已经”之意。

此时，太阳行将落山，窗户慢慢暗了下来，遂令美人执烛照棋。侧光照着棋局，“花”指执烛美人的姣好面容，一“回”，令人想起后来白居易写杨贵妃的“回眸一笑百媚生”，两者可说有异曲同工之妙。而“半隐身”更见出忽隐忽现之朦胧美。正可谓良辰美景、赏心乐事，令人销魂。美人的纤纤细手执烛不辞辛劳，时光悄悄流逝，不觉已是晨光熹微。

这诗写棋之魅力，有一大半是美人的功劳。“侧光”对“回花”，“全照局”对“半隐身”，华烛、佳人与棋局相互映衬。所谓红袖添香夜读书，这里是美人执烛夜弈棋，这大概都是中国文人士子所期许的境界吧！

《魏书·甄琛传》也写过一则秉烛弈棋之事，不过是作为反面事例出现的。一个叫甄琛的人，少敏悟，颇学经史，到京都准备应试，却终日弈棋，乃至通宵不止。他命仆人秉烛照棋，稍有瞌睡，便大加其杖，如此非止一日。奴不胜其苦，乃向琛曰：“郎君辞父母，仕宦京师。若为读书执烛，奴不敢辞罪，乃以围棋，日夜不息，岂是向京之意？而赐加杖罚，不亦非理！”琛惕然惭感，从此发愤读书，终于拜官晋爵，成就一番事业。

同是说“秉烛弈棋”，立意却已大相径庭。并且，这男仆秉烛与美人秉烛，其妙处不可同日而语。只是有一点不解，下棋为什么一定要人亲自秉烛，放一烛台照明不就得了。这只能有两个解释：其一，一支烛燃完了还得再换，这些琐事，大人君子不为也；其二，若有美人秉烛，岂不更增弈趣。围棋与美人，本来就是相辅相成的，特别是再加刻照棋烛赋诗，则更见文人士大夫之雅兴，为棋坛诗坛留下一段佳话。若一定要从小节处追问，难免扫兴，就此打住。

原载《围棋天地》2004 年第 10 期

李世民的围棋诗

历代好弈的皇帝不少，像南朝的梁武帝还亲撰《棋品》，作《围棋赋》，“尽有戏之要道，穷情理之奥秘”。然而，说到以围棋入诗，在帝王中，唐太宗李世民应是第一人。

五言咏棋

［唐］李世民

其一

手谈标昔美，坐隐逸前良。
参差分两势，玄素引双行。
舍生非假命，带死不关伤。
方知仙岭侧，烂斧几寒芳。

其二

治兵期制胜，裂地不要勋。
半死围中断，全生节外分。
雁行非假翼。阵气本无云。
玩此孙吴意，怡神静俗氛。

如果说南北朝是中国围棋史上的繁荣时期，到唐宋则又是一个新的高峰。唐朝政治相对清明，国泰民安，为围棋发展提供了一个较好的社会环境。加之唐太宗作为一代英主，对围棋的参与、吟咏、提倡，客观上为初唐围棋的发展奠定了一个良好的基础。

唐太宗李世民的父亲李渊就是一个棋迷，有时甚至“通宵连日，情忘厌倦”。受其影响，李渊几个儿子都好棋。《旧唐书·裴寂传》曾载李世民借裴寂与李渊下棋时，由裴寂劝说李渊起兵反隋。民间还有李世民观虬髯客与刘文静下棋的传说。《西游记》中也写到太宗与魏征下棋的场面。

太宗半生戎马倥偬，继位后，勤于政事，用不着亲自出征了，围棋盘也就成了他的另一个战场，因而他写的围棋诗也充满了战火的硝烟味。

先说第一首。“昔美”“前良”皆指前代的围棋高手及棋艺，“标”即标举，“逸”即超逸。以下写到具体的棋局，势在棋局中既指广义的形势，也指具体的定式、战术。玄素即黑白棋子，这两句写出了棋局中黑白棋势相互缠绕，犬牙交错的复杂局面。而棋盘上争斗虽然激烈，又有别于现实生活中的争战，舍生不用付出生命的代价，赴死也不会遭受伤害。领悟了这其中的乐趣，也就知道王质当年为什么会观棋烂柯了。

再说第二首。以兵法言棋，围棋如同用兵，目的当然在于谋取胜利，但攻城略地，割据称雄，却并不需要功勋。以下四句，以三尺之局为战斗场，棋在包围中被断开，情势紧急，却又忽然柳暗花明，得以全身而退，这里的“节外”与“围中”相对，可理解为冲出重围的另一天地，也似可解为“劫”，在“劫”中谋生路。而棋势的伸展就如那雁阵，却无须凭借翅膀；列阵作战，虽气氛紧张，但并无如云般聚集的杀气。枰上谈兵，既关谋略，从中能体会孙子、吴起的兵家之意，又别有意趣。“怡神静俗氛”，谓围棋可以令人精神愉快，驱散世俗之气。

以兵言棋，可以说是汉代以来的传统，《隋书·经籍志》还把棋类书籍列在了子部“兵家”类。太宗雄才大略，于一枰之上自也凝聚了他半生戎马生涯的经验与体悟。但这首诗，以兵言棋，妙就妙在似与不似之间。似，使棋通于军事韬略，军事家、政治家们可在其中从容论兵，不再把围棋仅仅当作一个道具，而是直接切入棋局本身，并且将“战况”再现得如此逼真、生动，太宗可说是第一人。同时，在安定和平的时代，将现实之“战”搬到棋盘上，棋又成了最好的移情之物。不似，所谓“舍生非假命”“裂地不要勋”，则使人在棋盘的战斗中得以保持一些超脱的心态，更能体味其中的情趣与妙味。一味言“战”，总难脱“俗”。“怡神静俗氛”，形而下的围棋，也就顿时高雅起来。棋之“用”，毕竟首先在于陶冶性情。

韦曜在《博弈论》中说围棋“求之于战阵，则非孙吴之伦也；考之于道艺，则非孔氏之门也”。太宗却把围棋提到了超越凡俗的高度。皇帝对围棋的褒扬，自然会影响到社会各阶层特别是文人士大夫对围棋的态度。太宗的棋诗还引来弘文馆学士许敬宗、刘子翼等的唱和，也由此掀起了一个围棋诗歌的小高潮。上行下效，唐代围棋的繁盛也由此开始。

原载《围棋天地》2004 年第 12 期

烂柯一梦

烂柯石

［唐］孟郊

仙界一日内，人间千载穷。

双棋未遍局，万物皆为空。

樵客返归路，斧柯烂从风。

唯余石桥在，独自凌丹虹。

在关于围棋的各种传说中，王质观棋烂柯应是其中最著名的一个。自南朝梁代任昉的《述异记》记载这一故事以来，它又不断生出不同的版本。这一想象出来的故事也深为中国文人所喜爱，文人们纷纷进行艺术加工，于是在诗歌、绘画等领域出现了一批以“烂柯”为题材的作品。画有宋代郑思肖的《烂柯图》，明代张以宁的《烂柯山图》、徐渭的《王质烂柯图》，清代丁光鹏的《烂柯仙迹图》等。以烂柯为题材的诗歌则更是层出无穷，孟郊的这首《烂柯石》便是其中的代表之作。

说到孟郊，也许你首先会想起他那首著名的《游子吟》。“慈母手中线，游子身上衣”牵动过无数人的心。孟郊一生困顿，早岁屡试不第，四十六岁才中进士。“春风得意马蹄疾，一日看尽长安花”，登科后的志得意满溢于言表。可惜这种时候并不多，他中进士后也只做过很小的官，终究还是贫寒而死。人生的潦倒，世事的无常，正是这首《烂柯石》的思想基础。

孟郊写的烂柯石，在烂柯山上，相传为仙人弈棋处。烂柯山在浙江衢州城东南，山虽不高（最高峰中岩海拔一百七十七米），但地貌不凡，拥有南北中空的石室（所以又名石室山），东西跨度长四十米、宽三十米的现知浙江最大的天生石桥（因又得名石桥山）。道书中又谓之青霞第八洞天，道教把地上的仙人安顿在三十六洞天、七十二福地等名山胜景居住，烂柯山也就成了仙弈圣地。

既是仙弈圣地，当然不同于凡间。“仙界一日内，人间千载穷”，神仙世界与现实世界首先在时间上构成一种对比。天上比人间舒服快乐，所以神仙的日子也就过得快，所谓“洞中才七日，世上已千年”，便是这种心理的反映。仙界与人间正是在这种时间的不合拍中有了分别。两个神仙在那里下棋，一局未终，万物却已成空。当上山砍柴的王质回去时，斧柄早已烂了，只剩得那座石桥，独自凌驾于飞霞虹彩中。这正所谓青山依旧，人事已非。

有意思的是，烂柯的根由在于围棋。围棋一向被当作“仙家养性乐道之具”。围棋在给人提供充分的精神愉悦的同时也就超越了凡俗的现实关系，营造出别一洞天，于是有了烂柯之类的传说。人一方面要依托于现实，另一方面又受到现实关系的种种束缚与桎梏，有着种种的痛苦和烦恼。围棋作为精神的游戏的艺术，便为人提供了一个由凡俗走向人生的自由之境的途径。黑白世界是一个虚拟的世界，又是一个可以供思想自由挥洒的世界。在这里，你可以体验到如神仙一般的快乐。

可惜的是，这一切不可能永远拥有。快乐的时光永远是短暂的，人仙阻隔，全诗处处有神仙世界与现实世界对应，仙界围棋与世间万物，石桥与斧柯构成了两种不同的存在。一种是永恒的，常在的；一种是易逝的，易朽的。烂柯传说体现了中国人的一种超现实想象，但这仅仅是一个梦而已。事实上两个世界是无法通约的。“山”中一局棋，“山”外来的斧头却在遵循它固有的生命节律老化、烂掉。宇宙永恒，人生短暂，这构成了人生的一份永远的“痛”。全诗在表达对理想世界的向往时也对现实的无常有着深深的叹惋。从中我们可以体味诗人孟郊的复杂心态，这也普遍反映了中国文人心态，于是才有那么多文人墨客不断地涂抹吟咏烂柯故事，构成了一种独特的烂柯艺术与烂柯文化。

原载《围棋天地》2004 年第 15 期

不语两相知

观　棋

［唐］子兰

拂局尽消时，能因长路迟。
点头初得计，格手待无疑。
寂默亲遗景，凝神入过思。
共藏多少意，不语两相知。

唐代出现了不少的诗僧、棋僧，如贯休、子兰、齐己等。他们往往诗道、棋道、佛道兼通。佛门多清静，一天到晚念经礼佛，未免太过单调，棋枰则成了最好的打发光阴之物，“僧舍复棋消百日”，时光也就在不知不觉之中打发了。如果还能在下棋中参禅悟道，或在悟道中洞晓棋趣棋理，那就更多了一层意义。

僧人子兰的这首《观棋》便兼得两者之妙。“拂局尽消时，能因长路迟”，说下棋时时间过得快，最好消磨时光。这里用一“拂”字，“拂”者，拂拭也，“局”即棋枰，拂拭棋枰当然是为下棋。这一动词的运用使全句一下子生动起来。下句说行远路的人可能因为驻足观棋而耽误了行程，这种事情非常多，像蒲松龄的《棋鬼》，写一书生在阴间为了下棋连重新回到阳世的机会都耽误了，由此可见棋的魅力。

后面诗句写下棋的过程，但着眼点不在棋局本身，而在下棋之人的心态、动作、表情。在棋局按照自己预定的计划展开，一切都在算计之内时，不免频频点头。待到局势逐渐明朗，两手相抵，以活动关节，似已胜券在握。其喜悦之态、得意之情跃然纸上。

“寂默亲遗景，凝神入过思”，这两句由动入静，“亲”指接近，“遗景”

即遗留的光景，在寂然无声中棋局已慢慢进入尾声，有一方却还在聚精会神、冥思苦想。可谓静中有动，棋盘上的天翻地覆其实都蕴藏在了无声的算计之中。

最后一联作结，“共藏多少意，不语两相知”，可谓写出了围棋艺术之精髓，也是全诗的诗眼。在下棋的过程中，双方殚精竭虑，你来我往，但这其中有许多东西，又是不能用言语来表达的。作为“对话”的双方，都只能用心去体会对手每一着所发出的无声的信息，会心处，悠然一笑，“此中有真意，欲辨已忘言”。

围棋被称为“手谈”，也就是说，这是一种不用言语的特殊的对话方式。下棋的过程就是一个双方对话的过程，每一着，都是向对手发出的无声的话语，对手在“倾听”你的“话语”的过程中，要不断地做出回应：同意或者反对。双方棋力相近，就会有一种心息相通的愉悦；反之，则不是对话，而是独白了。

人生大约也是这样。人生有许多东西是只可意会而不可言传的。人类时时面临着一种困境：一方面要用语言为万物命名，言说存在，使世界由混沌之初的朦胧走向逻辑的明晰；另一方面，这个世界又总有一些东西处在语言意识之外。不少西方哲人便时时陷于思、言、意的困惑之中，在将语言当作“存在的家”的同时，又痛感话语无法传递本质，表现总伴随着扭曲。相对而言，中国人在处理言与意的关系上则灵活得多。禅宗的拈花示众、不立文字，道家的大象无形、大道希声，通过静观而悟道，得道而忘言。中国文论中的“不着一字，尽得风流”“意在言外”，构成了一条中国式的即相离相之路。

围棋之道正体现了中国文化与文艺的独得之秘。去言、立象、尽意、体道构成了一条不断超越之路。“共藏多少意，不语两相知”正是棋盘上不用言语、心息相通的一种境界。纹枰对坐，以手代口，无声之中亦自有拈花微笑之妙。这是棋的境界，恐怕也是一种人生境界。子兰是在说棋，又何尝不是在谈禅论道。全诗的妙处也就在这里，处处说的是棋，无一处涉及“道”，而“道”意已自现。禅宗谓担水砍柴，无非妙道，行住坐卧，皆是道场。作诗也罢，做人也罢，下棋也罢，修道也罢，能达此境界，也就当得一个“悟”字了。

原载《围棋天地》2004 年第 21 期

山僧对棋坐

池上二绝（其一）

［唐］白居易

山僧对棋坐，局上竹阴清。

映竹无人见，时闻下子声。

唐代的许多诗人都会下棋，如王勃、王维、杜甫、岑参、白居易、元稹、刘禹锡、王建、张籍、韩愈、贾岛、杜牧、段成式、温庭筠、李商隐、张乔等。白居易（772—846）就是其中的代表，他四十四岁被贬江州司马前，并不会下围棋。元和十年（815 年）他曾在《与元九书》中对元稹说："仆又自思关东一男子耳，除读书属文外，其他俶然无知，乃至书画棋博可以接群居之戏者，一无通晓，即其愚拙可知矣。"而他学会围棋后，就深深地迷上了。"晚酒一两杯，夜棋三数局"（《郭虚州相访》），"兴发饮数杯，闷来棋一局"（《孟夏思渭村旧居寄舍弟》），"送春唯有酒，销日不过棋"（《官舍闲题》），"花下放狂冲黑饮，灯前起坐彻明棋"（《独树浦雨夜寄李六郎中》），"唯共嵩阳刘处士，围棋赌酒到天明"（《刘十九同宿》），这些诗都生动地表现了诗人对棋的痴迷。

这份痴迷当然有官场失意、以棋消忧的原因。白居易在被贬之前，曾满怀济世之志，以笔为武器，"文章合为时而著，歌诗合为事而作"，写下了许多讽喻诗，成为新乐府运动的代表人物。但"始得名于文章，终得罪于文章"，因文字得罪权贵，被贬后，在困顿之中，由激越而闲适，也就有了不少"嘲风雪，弄花草”的文字，我们也就由此看到了诗人的另一面。

白居易对围棋的痴迷与吟咏也是源于围棋本身的魅力。《池上》便生动地再现了一幅竹林围棋、幽静闲雅、禅意盎然的画面。

唐代，在江南山水的寺庙间曾留下过一批著名的棋僧、诗僧的身影。佛门一派的围棋，一直绵延不绝，构成了一道独特的景观。《池上》写的就是山中寺院僧侣对弈的场景。二僧对棋而坐，竹林摇曳，在棋枰上投下斑斑驳驳的影子。阳光映照着竹林，却看不到人影，只有落子的声音不时传来……

这首诗让人想起王维的《鹿柴》：“空山不见人，但闻人语响。返景入深林，复照青苔上。”诗表现的都是一种“幽”的境界，但它们不是通过完全的寂静去表现，而是在人语、在落子声中突出出来，正所谓“蝉噪林愈静，鸟鸣山更幽”。完全的“静”是一种死寂，有声之“静”反而有了活力，有了盎然的生机。最后一句“时闻下子声”，有的版本作“时闻落子声”，窃以为，这“落”似更能突出棋子落在棋枰上那清亮的声音。就如同“鸟宿池边树，僧敲月下门”，“敲”与“推”相比，更能反衬其“静”。

还值得一提的是，诗中所安排的弈棋的场景。文人、僧人都喜在竹下、松下品茶、弈棋。“坐石落松子，禅床摇竹阴”“松下围棋，松子每随棋子落；柳边垂钓，柳丝常伴钓丝悬”，自是一种让人流连的境界。而竹造幽境：“茶香绕竹丛”（王维），“尝茶近竹幽”（贾岛），且竹生山中，又有清香，“心与竹俱空，问是非何处著脚？念同山共静，知忧喜无由上眉”（《菜根谭》）。“竹下围棋”，便成了一大雅事。

这里的棋也就不仅仅是棋了。诗中写投在棋枰上的竹阴用的是一个“清”字。“清”不是颜色，而是人的一种感觉，因而要体会竹阴之“清”也就不一定用眼睛，而需要用心去品味。正像喝茶，茶之味无法用香、苦、涩、甘之类来概括，而在一“清”字，“清”得之于“心”，须在“静”与“闲”中品得。棋亦然。棋盘上可能充满了人的欲望，弥漫着战斗的硝烟。但这首诗却完全淡化了棋盘上的争斗，将杀气化为一种空灵之境。幽人，幽事，幽景，幽情……在清与幽中也就有了几分让人品之不尽的禅意。

白居易在这里写的是山僧对弈，恐怕也是自己心态的一种反映吧！中国文人在喧嚣的世间，在人生的困顿之中，总是在寻求着心灵安顿之所。于是，这清幽的境界便既是棋之境，又成了人生之境、审美之境。

原载《围棋天地》2004 年第 17 期

佛门中的高棋

观棋歌送儇师西游

［唐］刘禹锡

长沙男子东林师，闲读艺经工弈棋。
有时凝思如入定，暗覆一局谁能知。
今年访予来小桂，方袍袖中贮新势。
山人无事秋日长，白昼懵懵眠匡床。
因君临局看斗智，不觉迟景沉西墙。
自从仙人遇樵子，直到开元王长史。
前身后身付余习，百变千化无穷已。
初疑磊落曙天星，次见搏击三秋兵。
雁行布阵众未晓，虎穴得子人皆惊。
行尽三湘不逢敌，终日饶人损机格。
自言台阁有知音，悠悠远起西游心。
商山夏木阴寂寂，好处徘徊驻飞锡。
忽思争道画平沙，独笑无言心有适。
蔼蔼京城在九天，贵游豪士足华筵。
此时一行出人意，赌取名声不要钱。

说到刘禹锡，也许人们首先便会想到他那脍炙人口的《竹枝词》：“杨柳青青江水平，闻郎江上唱歌声。东边日出西边雨，道是无晴却有晴。”“山桃红花满上头，蜀江春水拍山流。花红易衰似郎意，水流无限似侬愁。”读惯了那种哀怨而精致的文人诗，面对这些民歌风味的情诗，便如同邂逅一位清纯而率直的山野女子，一股清风扑面而来。

这大约跟诗人被贬及长期在南方生活的经历有关。在他贬居巴楚和岭南时，当地的民歌俗调便浸润在了他的诗中。而他同时也结识了不少山野之士、方外之人，其中就包括爱下棋的僧人。唐代出现了不少诗僧、棋僧，他们多是湖南人。刘禹锡的诗中就写过两位。其中一首《海阳湖别浩初师》，小引中说“潇湘间，无土山，无浊水，民乘是气，往往清慧而文。长沙人浩初生，现因地而清矣，故去荤洗虑……与泉石为笃，故携之以嬉。及言旋，复引与共载于湖上，弈于树石间。”真是一种令人神往的诗境与弈境。

唐宋时的诗僧、棋僧，大多介于僧人与名士之间，所以与文人士大夫颇为投缘。但他们的棋艺怎样，已无从知晓。而刘禹锡的《观棋歌送儇师西游》，却刻画了一个嗜棋如命且棋艺高超的棋僧形象。全诗的重心也不在以棋理参佛理，而是专注于棋艺本身，它为我们了解唐代佛僧的棋艺水平提供了一个很好的参照。

从诗中看，儇师本长沙人，后削发为僧，在江西庐山的东林寺安顿下来。东林寺系晋代江州刺史为名僧慧远所建，后成佛教寺院的代称。儇师人在佛门心在棋，读的不是佛经而是艺经。这艺经对儇师而言当然就是棋艺类书籍了。佛门中的坐禅入定，讲究的是敛息静气，消除杂念，使心定于一处，得入真如之境。儇师打坐时，内心里暗暗地却在复局。这如同弈秋的那位徒弟，一边在学棋，一边却心系着外面的大鸟，以佛门守则而言，真是无可救药了。

话说这一年，儇师来到诗人贬居的桂阳（今广东连县），僧袍中藏的不是佛经，而是围棋的新着法、新定式。“山人”者，诗人自许也。“山人”合而为一就是“仙”，诗人过的是神仙般的无所事事的日子，每天懵懵懂懂地躺在舒适的床上。因为儇师来了，看他下棋，在棋盘上斗智斗勇，不知不觉太阳的影子就已沉到了西墙之下。想那围棋，前有王质上山砍柴遇仙人下棋，后有唐玄宗开元年间棋待诏王积薪擅名一时。而儇师，前世可能是弈仙，今世为国手，所以才积习难改，殚精竭虑于围棋的千变万化中，永无穷尽。看他下棋，布局时棋子稀稀落落，如同辰星散落，不一会散落的棋子凝成一体，如同秋天里兵强马壮的军队，扑向敌人。布阵时如雁子成队列飞过天空，观者尚不解其意，等到虎穴得子，直捣黄龙，众人才大吃一惊，原来如此啊！

儇师打遍三湘无敌手，整天跟低手下让子棋，把自己的棋格也降低了。独孤求败，难觅知音，听说京城里有高手，遂起西游之心。京城长安既有商山四皓弈棋的美妙传说，而今又多弈棋好手，儇师或放下锡杖驻足观棋，或欲亲自上阵弈棋争道，不由地在沙地上画起棋局，演练起着法来，或有所得，快适于心，不足为外人道也。天子脚下的长安的威严，贵族豪门富丽奢华的宴席，令人心向往之。儇师这一行的目的却出乎人意料，目的不在赌取钱物，而在赢得声名也。

酒、色、财、名、利，看来人生最难逃的，还是“名”这一关啊！谁叫儇师是个大棋迷呢。说他道行不高不要紧，要有人赞他棋下得好，封其为“佛门第一高手”，那儇师肯定要乐上大半辈子，引为平生最得意之事了。

看得出，刘禹锡也是棋道中人。一来与儇师交情深厚，写起人来便能传神；二来自己棋艺也应不低，写弈棋争道才会拿捏得如此恰到好处，不即不离，疏密得当，入乎其内而不黏滞，出乎其外而处处关棋。如此功力，如此境界，除了赞一句“好诗”，还有什么好说的呢？

原载《围棋天地》2004 年第 23 期

异国棋缘

送棋待诏朴球归新罗

［唐］张乔

海东谁敌手，归去道应孤。
阙下传新势，船中覆旧图。
穷荒回日月，积水载寰区。
故国多年别，桑田复在无？

围棋是中国国粹。随着中国文化的外传，围棋也漂洋过海，在异国他乡落下脚来。围棋向外传播的途径主要有两条：一条是沿丝绸之路西行，一条是向朝鲜半岛、日本东游。在围棋东游的过程中，朝鲜半岛成了一个重要的桥梁。

古代朝鲜半岛上的居民主要是东夷族。公元三世纪以后，高句丽统一了朝鲜半岛北部，与南部的百济、新罗形成三国鼎立的局面。朝鲜半岛的围棋活动最早见于朝鲜半岛的史籍《朝鲜史略》，相传高句丽的长寿王巨琏，打算攻占百济，招募了一个僧人道琳，让其假装获罪，逃到百济。道琳长于下围棋，通过下棋，取得了百济盖卤王的信任。道琳就蛊惑百济王滥用民力，大修宫室、城郭、坟墓，弄得百济仓廪虚竭，人民穷困。于是高句丽王发兵，攻占了百济的首都，百济王兵败被杀。这件事发生在公元 475 年，相当于南朝刘宋末年。

既然围棋成了用计的手段，那围棋传到朝鲜半岛至少在这之前。而到了唐代，大唐帝国威震海内外的强盛国力和吐纳百川的恢弘气度，吸引了各国使臣、权贵、留学生、商人、僧侣、乐工、画师、舞蹈家纷纷来华。新罗也不断派遣留学生到唐都城长安来，这些学生学习中国的经籍、技术，也有因一技之长而被大唐朝廷特聘的。其中朴球就以客卿身份在长安任棋待诏多年。唐代著名棋待诏有王积薪、王叔文、顾师言、滑能等人。棋待诏是内廷供奉中专门陪皇帝下棋的人，可算现在所谓的职业棋手。而朴球以留学生身份而能跻身于围棋国手之列，颇为难得。

朴球在长安多年，归国时，进士张乔专门作了这首《送棋待诏朴球归新罗》，表达依依惜别之情。

“海东谁敌手，归去道应孤”，这“海东”便是指的新罗。作者一开始便替好朋友担忧，作为新罗第一高手，你这一回去，苦无对手，该会觉得孤独寂寞吧，正所谓高处不胜寒啊！

“阙下传新势，船中覆旧图”，“阙下”指宫廷，“新势”指新的布局手法或战术手段，由此可见棋待诏为提高技艺，不负众望，平时是很用心钻研棋艺的。习惯成自然，朴球带回宫阙中新传的棋势，在归国之途船中犹不断解拆研究。

第三联，“穷荒回日月，积水载寰区”，“穷荒”指偏远荒鄙之地，“寰区”即寰宇、天下。大海环绕着岛国新罗，日月运行，到了那里，也就要回转了。这里很有趣地表达了中国传统的一种地理观念。中华者，位于天下中心的繁盛之地也，新罗之类的夷族，只能算是穷乡僻壤了。新罗离中华并不远，在古人看来，便仿佛已经是天之涯、地之角了。

结句“故国多年别，桑田复在无”，这是探问的语气，故乡已别多年，那里的一切不知是否依然如故？虽说是疑问句，但答案其实是不言自明的。物是人非，朴球回去，恐怕只能面对一个陌生的世界了。这令人想起《桃花源记》中的那位武陵渔人；想起上山砍柴，观棋烂柯的王质；想起天台采药的刘晨、阮肇遇仙女，学会下棋，回去时，已无复当时之人。

《送棋待诏朴球归新罗》首先为我们留下了一份珍贵的中外围棋交流史的资料。朴球作为中国官方棋类机构里最早的外籍棋士，回去后，自然便成了传播围棋的使者。星星之火，可以燎原。其二，张乔是进士、文人、隐士，朴球是外籍棋士，通过诗中的这份深厚的友情，也使我们得以对文人与棋士之间的交往有一个感性认识。其三，从艺术的角度说，作为送别诗，诗中无一处涉及自己的情感，而处处从对方的角度入思：归去，在那“穷荒”之地，也许将不再有志同道合之人，故乡的一切也应改变了模样。在这种种担忧中，对友人的挽留之意、惜别之情、拳拳之心已跃然纸上。言有尽而意无穷，意在言外，即此之谓乎？

原载《围棋天地》2004年第19期

诗境与弈境

锦江陪兵部郑侍郎话诗着棋

［唐］李洞

落叶溅吟身，会棋云外人。
海枯搜不尽，天定着长新。
月上分题遍，钟残布子匀。
忘餐两绝境，取意铸陶钧。

唐代是李氏王朝，士人李洞是京兆（今陕西西安）人，唐宗室后裔，按理应该有发达的机会，却三试不第，于是起南游之念。入蜀道，过剑门，在成都平原那块富庶而祥和的土地上落下脚来，最终客死他乡，从而也完成了他由中心向边缘的人生历程。

边缘也自有人生的妙处。人谓少不入川，老不出川，说明那块土地上有一种深入骨髓的东西，往贬的一端说是消磨人的斗志，往好里说是可以安顿人的身心的。成都的生活比别处悠闲，棋之类的玩物也就容易生根，并蔓延开来。偏偏李洞又是个棋迷，在那里自然如鱼得水，并且在棋上玩出了诗情画意，有诗为证。

《锦江陪兵部侍郎话诗着棋》，从标题看，是诗人陪一位封疆大员某一天在锦江边上话诗着棋玩了一把，据实写来，难免多了些官场气、媚俗气，并且有附庸风雅的嫌疑。且看中国的士人们是如何去俗入雅，营造一个诗棋交融的美妙境界的。

诗的前六句分写吟诗与弈棋。落叶溅吟身，说明这是晚秋季节，落叶满地，也洒在了正在吟诗作对的人身上，那萧瑟秋风中的诗意一下子就出来了。会棋云外人可以是指诗人与那位兵部侍郎郊游去锦江畔的某寺院，与僧道中某方外之士下棋，不过“云外人”更有可能是指他们自己。得一日之闲，将身心寄托在棋盘上，浑然忘却了身外的世界，包括自己现实生活中的身份，正所谓“手谈”“坐隐”啊。

以下写下棋之人面对此情此景，诗兴大发，即使海水枯竭，妙语佳句也绵绵不绝。“天定”本指天有定数，这里指围棋着法本有一些固定的套路，但下棋的人新着迭出，妙着无穷。吟诗下棋之间，不觉月亮已挂上树梢，在月下分题赋诗，已不知吟了多少诗了，在山寺晚钟中，棋子已布满棋盘。那夜色中悠悠的钟声，诗人用的是一个“残”字，又多了些人生的况味。

最后两句总括：赋诗与弈棋，都是极妙的境界，其乐无穷，令人忘食。这里的“陶”为陶器，“钧”为制陶器的转轮，意谓诗与围棋都是圣人制驭天下之道，凡人也可以之陶冶情性。

落叶、山寺、秋月、残钟，乃是中国古典诗歌中的经常出现的意象，伴以诗酒茶棋，也就构成了中国士人一种理想的人生境界。在秋日落叶、月明之时寻觅佳句，在清静寺院、暮钟悠悠时丁丁落子，一诗一棋，错落有致。此诗境、棋境，相得益彰，真是令人心向神往啊。

东汉李尤（44 — 126 年）有一《围棋铭》：

诗人幽忆，感物则思。
志之空闲，玩弄游意。
局为宪矩，棋法阴阳，
道为经纬，方错列张。

《围棋铭》值得注意的是，它将诗与棋联系在一起，诗人“感物则思”，得闲时则“玩弄游意”。“感物”“游意”，即诗与棋之相通处。中国古代有不少咏棋诗，它们多出自文人、士大夫之手，当然也就反映了其人生价值观念与审美情趣。棋枰上，黑白交错，阴阳互动，本身就是极美的图画。下棋的过程，就是通过棋子塑造形象、寄寓情感、追求美的韵律。如果再把下棋与吟诗结合在一块，所谓“棋子不妨临水着，诗题兼好共僧分”（林逋《山中寄招叶秀才》），“诗思长桥蹇驴上，棋声流水古松间”（陆游《冬晴日得闲游偶作》），则更增了一分魅力。

在这里，弈境也即诗之境，人生之境。失意的李洞，也正是在棋盘上、在诗歌中，发现了另外的一种生存的方式。锦江河畔棋子声，读《锦江陪兵部郑侍郎话诗着棋》，也就不由地想到自己在锦江边度过的一段岁月。锦江即府南河，就从川大的东门边流过，不远处就是望江楼公园，常常与学友们在那里喝茶、下棋、谈学问。一边准备博士论文《弈境——围棋与中国文艺精神》，一边伴着悠悠的锦江，穿越历史的时空，游走于古典与现代之间，在那诗境与弈境中寻寻觅觅。突然发现，做了那么多年的外国文学，自己骨子里其实是个典型的中国传统文人啊！

原载《围棋天地》2005 年第 1 期

胜固欣然败亦喜

观棋并序

［宋］苏轼

予素不解棋，尝独游庐山白鹤观，观中人皆阖户昼寝，独闻棋声于古松流水之间，意欣然，喜之。自尔欲学，然终不解也。儿子过，乃粗能者，儋守张中日从之戏，予亦隅坐，竟日不以为厌也。

五老峰前，白鹤遗趾，
长松荫亭，风日清美。
我时独游，不逢一士，
谁欤棋者，户外屦二。
不闻人声，时闻落子。
纹枰对坐，谁究此味？
空钩意钓，岂在鲂鲤，
小儿近道，剥啄信指。
胜固欣然，败亦可喜，
优哉游哉，聊复尔耳。

中国古代围棋有个奇怪的现象：棋手们在棋盘上拼死搏杀，废寝忘食，直杀得天昏地暗，日月无光。好战且善战，是中国围棋的一大特点。而中国古人谈棋，却常常温文尔雅，一付胜负不萦于怀的样子。即使要赢棋，也是自然平淡，无招之招。并且，下棋不如观棋。下棋的常常把胜负看得很重，以三尺之局为战场，蜗争于角，龙战于野，机巧用尽，胜则怡然自得，败则急火攻心，久而久之，难免执而不悔，迷而难返。“世间蛮触何营营，蜗角封疆一局纸。”正因为如此，明达之人又常生出“与其枰上相争，何不退而观之”之想。用李笠翁的话说，就是“善弈不如善观”。

观棋一派的始作俑者，苏东坡算是一个。东坡谓“生平有三不如人：着棋、吃酒、唱曲”。然而正是这不如人处却自有过人之妙悟。东坡好酒，几乎每日必饮，但他酒量并不大。在东坡看来，人生不过以酒寄情、借酒尽兴而已。他虽不善饮，“然喜人饮酒，见客举杯徐饮，则予胸中为之浩浩焉，落落焉，酣适之味乃过于客。”在劝酒、看人饮酒中，自有无穷的乐趣。东坡于围棋也只是粗通而已，他自称“素不解棋”，有一天，他游于庐山白鹤观时，在古松流水之间，看儿子苏过与人弈棋，坐而观之，竟看了一天还兴犹未尽，可见棋的魅力啊！

这魅力，首先与观棋之场景有关。且说这一天，风和日丽，天气晴美，诗人独游庐山五老峰，入白鹤观，但见松荫满地，却阒无人迹。当此时，突然见到门外有两双鞋子，谁在这里下棋呢？只听得落子的清音，却不见人影，正所谓“映竹无人见，时闻落子声”啊！

接下来，自然是观战了。当年姜太公钓鱼，用的是无饵的空钩，原来是钓翁之意不在鱼啊！小儿指诗人的儿子苏过，“近道者，粗通棋艺也”。苏轼遭贬南游时，苏过经常随侍左右。另一下棋者张中为儋州地方官，苏轼到儋州后，张中接其住入官舍，并时常来看望，并与苏过下棋。两人常常信手而下，下棋之意当然也不在输赢了。下棋者如此，观棋的更是这样了。优哉游哉，怡然自得，人生也就是如此吧！

胜固欣然败亦喜，喝酒下棋而能达东坡之境界者，便是“近道”了。苏轼被贬黄州，躬耕陇亩，遂以东坡自况。他一边站在赤壁之上吟唱着“大江东去，浪淘尽千古风流人物”，一边在睡仙亭中亦酒亦歌，酣卧高眠，或者驾扁舟一叶，在江对岸的西山玉泉寺与高僧谈棋论道。春风得意马蹄疾，总是人生一大快事。但现实又常常让人想争胜而不得，郁闷中，无由排遣，索性退后一步天地宽，向棋与酒中去寻一份洒脱了。

清代张潮《幽梦影》中谓：“‘空山无人，水流花开’，二句极琴心之妙境。‘胜固欣然，败亦可喜’，二句极手谈之妙境。”“胜固欣然，败亦可喜”也就成了全篇之“诗眼”。它既是一种围棋观，也代表了中国士人的一种人生观念。从棋上说，他体现的是文人之棋与棋手之棋的分野。棋手以胜负为要，文人常常技不如人，索性淡化输赢，以胜固欣然败亦喜相标榜，当然，他们也就更多地体会到了棋之外的乐趣。

从人生的角度说，与其局上相争，不如退而观之。《菜根谭》曰：“世事如棋局，不着的才是高手；人生似瓦盆，打破了方见真空。”能宠辱不惊，胜败皆喜，正是人生的一种境界啊！

这正所谓“平常心是道”。有平常心，方能达此妙境。当今棋手，不知是否能从中悟出点什么。对一个东西过于看重，容易患得患失，心态失常。有时，看淡了胜负，反而能最大限度地发挥自己的水平。人生如此，棋亦然啊！

原载《围棋天地》2005 年第 6 期

拈棋微笑

新开棋轩呈元珍表臣

［宋］欧阳修

竹树日已滋，轩窗渐幽兴。
人闲与世远，鸟语知境静。
春光靄欲布，山色寒尚映。
独收万虑心，于此一枰竞。

中国文人，不管官做得大小，顺与不顺，似乎都有一种归隐的心态。特别是面对不如意的现实，不满而又无可奈何，便大多只能寄情酒棋山水，以此应对人生的一切烦恼与是非，求得现实中的自我保存，也获得精神的解脱。于是，一卷书，一杯酒，一局棋，一盏茶，成了他们生存方式的一种标志。欧阳修曾作《六一居士传》，谓：“吾家藏书一万卷，集录三代以来金石遗文一千卷，有琴一张，有棋一局，而常置酒一壶。……以吾一翁，老于此五物之间，是岂不为六一乎？”客问：“如何其乐？”答曰：“吾之乐，可胜道哉？方其得意于五物也，太山在前而不见，疾雷破柱而不惊，虽响九奏于洞庭之野，阅大战于涿鹿之原，未足喻其乐且适也。”

棋自然也是其中之一乐，而真正能得棋之真趣者，六一居士也。不信，看看这首《新开棋轩呈元珍表臣》便能明白。

欧阳修迷棋，新辟了一处下棋的地方，得意之余，想要有人分享，于是想到了一位叫元珍的友人，元珍即丁宝臣。且看作者是怎样描写他的棋轩的。

竹树在一天一天地长着，棋轩里便渐渐有了幽微之致。当然，这一切关键还在于人闲，要“闲”先得心静。陶渊明《饮酒》诗谓“结庐在人境，而无车马喧。问君何能尔，心远地自偏”，只要“心远”，哪怕是在闹市，也会变得僻静。所以“人闲”便可远离尘世，就像鸟鸣树间，反衬得环境的清幽，所谓“蝉噪林愈静，鸟鸣山更幽”。这时已是春天，云气缭绕，寒意犹存，山色空蒙，似有还无。面对此情此景，诗人弈兴大发，招友人对弈，将万般机心尽付于棋枰之中。

诗人在《醉翁亭记》中谓：“醉翁之意不在酒，在乎山水之间也。山水之乐，得之心而寓之酒也。”这篇写棋，同样是棋翁之意不在棋啊！诗人并不着力描写下棋的过程及棋本身的乐趣，而是表现“弈”的环境——新开棋轩的诱人：竹树环绕，推窗见幽，春光融融，山色清寒，无车马之喧哗，有鸟语之悦耳，怎不令人收万虑之心，得人生之佳趣。情景合一，心棋合一，真尘俗之妙境也。

于是，全诗最后两句便成了诗眼。前面一直在做铺垫，营造一个令人神往的境界，最后再点出主旨。琴令人寂，棋令人闲，人以围棋为“坐隐”，小小棋枰，演绎世态人生。人的一切欲望、争竞都付于棋中，也在棋上获得了升华。

“树林阴翳，鸣声上下，游人去而禽鸟乐也。然而禽鸟知山林之乐，不知人之乐，人知从太守游而乐，不知太守之乐而乐也。醉能同其乐，醒能述以文者，太守也。”欧阳修在《醉翁亭记》中如是说。太守者，欧阳修也。人不知“乐其乐”，只好行诸笔端了。欧阳修写棋，写棋中之真趣，也需要读者慢慢去体会。无招之招，正是高手的境界。对作者来说，不写棋而处处见棋，空白处皆是画。对读者来说，拈棋微笑，即为会心。

胡仔《苕溪渔隐丛话》中说，浮山有一高僧法远。欧阳修听说法远高逸，便去造访，但起初并没发现法远有何特异之处。后来欧阳修与客人下棋，法远旁观。欧阳修收拾棋局，请法远说法。高僧以棋说禅：

> “若论此事，如两家着棋相似。何谓也？敌手知音，当机不让。若是缀五饶三，又通一路，始得有一般底，只解闭门作活，不能夺角

冲关，硬节与虎口齐彰，局破后徒劳绰斡。所以道，肥边易得，瘦肚难求。思行则往往失粘，心粗则时时头撞。休夸国手，谩说神仙，赢局输筹即不问，且道黑白未分时，一着落在什么处？”良久曰：“从来十九路，迷悟几多人！”

结果欧阳修大服，喜叹不已，从容对同僚说：“修初疑禅语为虚诞，今日见此老机缘，所得所造，非悟明心地，安能有此妙旨哉！”

“从来十九路，迷悟几多人。”置身于欧阳修的棋轩，在竹树、山色、春光、鸟语中，得一日之闲，疏疏落落地摆下几颗棋子，人生仿佛也就有了几分禅意。

原载《围棋天地》2005 年第 4 期

忘忧清乐在枰棋

宫词

［宋］赵佶

忘忧清乐在枰棋，仙子精攻岁未笄。
窗下每将图局按，恐防宣诏较高低。

宋代以文治国，琴棋书画之类的雅艺自是大盛。宋朝许多皇帝都好弈，宋太宗赵光义就是一个大棋迷。太宗的棋艺究竟怎么样不好说，据说“棋品第一”，被豢养于宫廷的一大批围棋高手都要被让二到三子，文人潘慎修献诗云：“如今纵得仙翁术，也怯君王四路饶。”太宗还自制棋势，亲自创造了对面千里、海底取明珠、独飞天鹅三种图势，被称为“御制三势”，轰动一时。当有人劝太宗对“悦惑明主”之棋要保持警惕时，太宗说：“朕非不知，聊避六宫之惑耳。”

宋太宗颇有些抱负，连下棋都是为避“六宫之惑”。不过，面对后宫佳丽，能不动心是非常困难的！宋徽宗赵佶就会享受得多，教导宫女们都来下棋，一时间，黑白棋枰尽红袖，遂成一大风景。

宋徽宗（1082—1135 年）作为皇帝是失败的，最后被金兵掳去遥远的北方，“最是仓皇辞庙日，教坊犹奏别离歌”，岂不凄凄惨惨戚戚也哉！另一方面，徽宗又是一个大才子，大玩家，画画写字是一绝，工于花鸟画，书法创“瘦金体”，据说做木工活都是一把好手，棋不用说也是不弱的。要是不做皇帝，倒是可以留下许多佳话。

这里光说棋。徽宗好弈，自然引起宫里的围棋热，所谓上行下效。在古代女子围棋活动中，宫廷围棋占有重要地位。这首先是因为在那个时代，围棋毕竟首先是贵族阶级的消闲之物；其二，琴棋书画乃是有一定身份的女子取悦于人的必要“才艺”。宫廷，为女性与围棋的结缘提供了一个契机，也因此留下了不少有关宫娥嫔妃们围棋活动的诗词与故事。

《宫词》便生动地再现了一幅宫女围棋活动的画面。忘忧清乐在枰棋，寥寥七字，便将围棋的魅力展露无遗。何以解忧，唯有围棋。“忘忧”相传出自东晋名流祖纳的一段故事。祖纳之弟即是历史上有名的闻鸡起舞、击楫中流的壮士祖逖。祖逖素有大志，无奈时运不济，在北伐中因孤立无援而失败。祖纳对弟弟的失败十分痛心，终日弈棋。朋友王隐劝他珍惜光阴，祖纳答曰：“聊用忘忧耳。”围棋使人忘忧愁得清乐，南宋棋待诏李逸民著棋书，名字就叫《忘忧清乐集》。

这里在“乐”前用一“清”字，意味着围棋乃清雅之事，不同于一般的世俗之乐。而宫女被称为“仙子”，则更增一分不俗之气。围棋曾被当作非人间之事，乃仙人养性乐道之具也。

不过，仙子最终要落脚到世俗中。“笄”为古代女子的成年礼，一般为十五岁行及笄礼。小小年纪，就已经精于弈棋。每每在轩窗之下，打谱习艺，原来是怕皇帝招去弈棋，所以先要练好本领，好有朝一日一试身手啊！

女为悦己者弈，在宫女苦练棋艺本领中，既有棋之乐，也包含着人生的一份无奈。宫女的命运掌握在皇帝手中，她们的一切作为，一切喜怒哀乐，都是围绕着皇帝的。宋徽宗御制《宣和宫词》中还有多首写到宫中女子围棋：

三月风光触处奇，禁宫通夜足娱嬉。
踏青斗草皆余事，闲集朋侪静弈棋。

新样梳妆巧画眉，窄衣纤体最相宜。
一时趋向多情逸，小阁幽窗静弈棋。

三月春光，到处是莺歌燕舞，禁宫里通夜都在娱乐嬉戏。踏青、斗草、弈棋……宫女们精心梳妆打扮，眉毛弯弯，窄衣纤体，袅袅婷婷，在小阁轩窗中，忘忧清乐，好一幅优美动人、诗情画意的宫廷围棋图啊。其时，正是北宋末年内忧外患、民不聊生之时，宋徽宗在政治上昏庸不堪，在琴棋书画等“消闲”之物上又颇有造诣，在宫廷中营造出一种歌舞升平、幽静闲雅的气氛。这种种反差，颇让人生出些“商女不知亡国恨，隔江犹唱后庭花”之慨。

原载《围棋天地》2005 年第 9 期

琴弈相寻诗间作

次适斋韵十首·棋会

［宋］楼钥

归来乡曲大家闲，同社何欣取友端。

无事衔杯何不可，有时会面亦良难。

少曾环坐坐常满，赖有主盟盟未寒。

琴弈相寻诗间作，笑谈终日有余欢。

有道是物以类聚，人以群分。人有共好，自然而然会相互吸引，志趣相投。借用那句习见的话说，就是我们都是来自五湖四海，为了一个共同的围棋走到一起来了。

文人士大夫好棋，也好热闹，于是便弄出许多的诗会、酒会、茶会，自然也有各种棋会。元稹《酬段丞与诸棋流会宿弊居见赠二十四韵》便十分详细地记叙了一次颇具规模的棋会。“眠床都浪置，通夕共忘疲。”手谈忘忧，令人废寝忘食。第二天早上，各自散去，犹有余味，“此中无限兴，唯怕俗人知”，正可谓棋人雅事。

到两宋时期，文人士大夫的棋社棋会更为活跃。欧阳修《醉翁亭记》写过“宴酣之乐，非丝非竹，射者中，弈者胜，觥筹交错，起坐而喧哗者，众宾欢也”的热闹场景。南宋诗人楼钥（1137—1213年）的不少诗都是以棋社棋会为题材，“二公休致我来归，尽可同裁隐士衣”（《坚郑贵温棋社》），一生仕途奔波，一朝解脱，归去来兮，以棋会友。《棋会》写的也是一次难得的聚会。

《次适斋韵十首》都是描写家乡生活的，适斋为作者的舅舅，这组诗即为唱和之作。《棋会》为其中之一首。“归来乡曲大家闲，同社何欣取友端。”回到故乡，结束了宦海生涯，人的心境便不一样了。“羁鸟恋旧林，池鱼思故渊……久在樊笼里，复得返自然。”这“闲”，一方面是时间，更重要的，闲的是人的心境。“琴令人寂，棋令人闲”，有了这份闲适的心情，才可充分体会棋中之妙味。平时大家难得有机会会面，没事时喝杯酒，聊以打发时光，倒也未尝不可。但独自一人，举杯四顾，总难免孤寂。相约手谈，便成了大家会面的最好的理由。

以下四句便是具体写棋会的情景。“少曾环坐坐常满”，说明这次棋会的规模很大，大家从各地赶来，不一会便围坐得满满的，可谓盛况空前。而这一切都是因为组织者组织得当，才使聚会得以热热闹闹地进行。一“盟”字，令人想起武侠小说中经常写到的帮中大会，以武会友，推选盟主。这里正进行的，大约就是“黑白帮”的聚会吧！

“琴弈相寻诗间作”，在这聚会中，不光有棋，还有诗有琴。琴棋书画诗酒茶，本就密不可分。一“寻”字，活脱脱写出琴与棋之间的那种吸引与契合。“间”为穿插之意，中间不断有诗佐琴棋，它们相得益彰，更添一分雅兴。

大家一起下棋、弹琴、饮酒、赋诗，活动内容非常丰富，其乐融融。“笑谈终日有余欢”，这里的“谈”，既可以是手谈，也可以是“口谈”。这时，棋的胜负已经不重要。关键是在这聚会中，大家不仅获得了棋之趣，在谈笑风生中更有另外的一份快乐。这“余欢”，缭绕不绝，真是令人流连忘返啊！

古人在各类诗文中都曾写到各种棋会。相对来说，笔记与小说中写到的棋，就像《春渚纪闻》中写到的《刘仲甫奉饶天下棋先》，《儒林外史》中写的王太在寺院庙会中的弈棋，更多世俗色彩，也更接近棋本身。而士大夫诗中写的文人棋会，则多属雅集。棋翁之意不仅在胜负，更在于诗酒琴棋中所透出的人生之趣，在于那份精神的超脱与快乐。正所谓“得半日之闲，可抵十年的尘梦”。

《棋会》最吸引我们的也正在这里。“棋社经年能几回，身闲深幸屡参陪”（《蒋德尚棋会展日次适斋韵》），这样的雅集一年中其实并不太多，唯其如此，也就更让人念念不忘。在当今时代，大家都在忙忙碌碌中，为“利”而奔波。得闲时也更多的是在网络中去冲浪，过一把棋瘾。“琴弈相寻诗间作”中所透出的那种闲雅与高致，是越来越难寻了。于是，读《棋会》，难免让人生出些思古之幽情。

原载《围棋天地》2005 年第 11 期

争名竞利看棋忙

满庭芳·看围棋

［宋］马钰

争名竞利，恰似围棋。至于谈笑存机，口倖相谩，有若蜜里藏砒。
见他有些活路，向前侵，更没慈悲。夸好手，起贪心不顾，自底先危。
深类孙庞斗智，忘仁义，唯凭巧诈诡諆。终日相征相战，无暂闲时。
常存杀心打劫，往来觅，须要便宜，一着错，似无常限至，扁鹊难医。

金庸的小说经常写到全真教。这全真教乃南宋时中国北方出现的一大教派，创始人为王重阳。王重阳在传教过程中，陆续收了七个弟子，号称全真七子。这其中最有名的是大弟子马钰和丘处机。金庸小说的许多地方都有他们的身影。金庸也写过侠客中的好棋者，只是大多是虚构，而会棋的马钰和丘处机，小说里倒没有提及，遗憾！

马钰曾写过两首很有名的围棋诗，都是贬斥围棋的，但又贬得很到位，令人有妙趣横生之感。《满庭芳·看围棋》即为其中一首。他一开始就把围棋当作是“争名竞利”之物。在谈笑中存着机巧，在甜言蜜语里相互欺骗，就好像蜜里藏着砒霜，笑里藏着刀子。看到人家有些活路，就赶紧往前追杀、侵凌，欲置之死地而后快，一点儿慈悲也不讲。仗着自己棋艺高，趾高气扬，得意忘形，起贪婪之心，不顾自身后院起火，危机重重。这一切，就好像战国时的孙膑与庞涓在那里斗智。两人同学兵法，后庞涓为魏惠王的将军，嫉恨孙膑才高，将他骗到魏国，处以去膝盖骨的膑刑。后齐国使者将孙膑秘密载回，齐威王任命其为军师。桂陵之战时，孙膑设计围魏救赵，设伏兵大败魏军，生擒庞涓。这围棋也像是这样啊，不顾仁义，只是凭着机巧欺诈，相互攻击谩骂。终日里沉溺于厮杀之中，没有一刻歇息的时候。下棋过程中，常常存着杀心，制造劫争，来来回回地找劫材，就是想趁机占点便宜。有时棋错一着，就好像人的大限已至，连名医扁鹊也难以施救啊！

这首词将围棋的“争”“诈”写得极为传神。特别是写一着失误，满盘皆输，对当事者而言，犹如大限来临一般，真是摸透了下棋者的心态。看得出，马钰肯定也是个懂棋之人，而后才能把棋里的玄机，棋迷的心态写得如此鲜活。同是贬斥围棋，比韦曜的《博弈论》一门心思，只讲围棋“胜敌无封爵之赏，获地无兼土之实，伎非六艺，用非经国”，而劝人移博弈之力，用之于诗书、资货、射御等等，从而立下不朽功名显得可爱多了。看来，说人坏话，也是首先需要知人才能说得到位啊！

马钰既懂棋，还要如此贬围棋，看来跟他所信奉的道教教义及对围棋的认识有关。全真教奉吕洞宾为祖师，以道为主，兼容道释，强调内心清静，养性守气，性命兼修。所谓全真，即全其本真，全精、全气、全神，即为本真。关键在于身定、心净、意诚，无欲无念，闲适安静。马钰在《马丹阳道行碑》中曾教导人们，要“静坐以调息，安寝以养气，心不驰则性定，形不劳则精全，神不忧则丹结，然后减情于虚，宁神于极，不出户庭，则妙道得矣”。而围棋，在他看来，却是让人满怀奸诈心肠，“争名竞利”。如果沉迷其中，就难免魔障难除。为此，马钰又作《满庭芳·迷棋引》，指给人一条迷途而返之路：

口倖谩人，手谈胡指，暗怀奸诈心肠。只图自活，一任你咱亡。得胜无声之乐，笑他家不哭之丧。无慈念，杀心打劫，一向骋乖张。偶因师点破，回心作善，入道从长。便通玄知白，守黑离乡。绝虑忘机养浩，炼神丹，出自重阳，行教化。阐扬微妙，诗曲《满庭芳》。

上片写下棋者心态，心怀奸诈，得胜偷着乐，哪管他家如丧考妣，极尽讽刺挖苦之能事，与上一词有异曲同工之妙。下片翻出词的本义，叫人回心向善，潜心修道，知白守黑，视围棋如无物，断尘念俗虑，去巧诈机心，养浩然之气，得道成仙。这正是马钰指给人的正道，至于棋迷，是否能迷途知返，就看他自家了。棋中自有乾坤，棋盘上也能修身养性，有道是通天的道路九千九百九十九啊。

原载《围棋天地》2005 年第 13 期

翁心不在棋边

清平乐·围棋

［元］刘因

棋声清美，盘礴青松底。门外行人遥指示，好个烂柯仙子。输赢都付欣然，兴阑依旧高眠。山鸟山花相语，翁心不在棋边。

下棋的乐趣有很多种——有的执着于胜负世界，在相互的断杀、偷袭、算计、巧取强夺中，玩儿得不亦乐乎；有的则是在胜负之外，在山水与人的精神世界里体会到另一种棋之趣。正所谓棋里棋外，各得其所。

中国古代的文人，似更偏重于后者。苏轼开观棋“胜固欣然，败亦可喜”的先河，便不断有后人仿效之，并发展为不只观棋如此，下棋亦然。元代的士人、弈人、词人刘因便是其中的代表之一。

元代在蒙古族的统治下，汉人地位低下。郑思肖《大义略序》称：“元代之法：一官、二吏、三僧、四道、五医、六工、七猎、八民、九儒、十丐，各有所辖。”于是，士大夫们只好或寄情于种种俗世的快乐，或企望从大自然中去获得慰藉，琴棋书画、渔樵耕读，乐在其中。“向林泉选一答儿清幽地，闲时一曲，闷后三杯……闲遥遥游山玩水，乐陶陶下象围棋”（孙叔顺《一枝花》），便成了他们的一种生存方式。

刘因也不例外。他虽曾以学荐于朝，不久即以母疾辞归，再征不起，从此过着一种逍遥自在的生活。他在一首《对棋》诗中云：“直钓风流又素琴，也应似我对棋心。道人本是忘机者，信手拈来意自深。”直钓说的是姜太公钓鱼，用不带钩子的钓线，素琴即不加装饰的琴。钓鱼意不在鱼，抚琴心不在音，对棋自然也意不在棋，在恬淡忘机中别有深意啊！

《清平乐·围棋》也正是写的这种棋之趣。在树大根深的青松底下摆一棋局，棋子声不时传来，令人想起“松下围棋，松子每随棋子落；柳边垂钓，柳丝常伴钓丝悬”的意境。松性寒且幽，松冠如盖，松下阴阴，最显幽深之境。于此间弈棋，棋声都显得特别清美了。清，同时也是人的一种心境，素心人才慢慢品味得来。“门外行人”既可指其本意，也可指不会人之人，关键是下句，在外人看来，青松底下一局棋，直可以与那烂柯仙人之棋媲美。王质观棋烂柯，浑然忘却了时光之流逝，其实正是棋之魅力啊！这里妙在一个“遥指”，拉开一段距离，更给人远离尘俗、飘飘欲仙之感。它虽可能化用自“借问酒家何处有？牧童遥指杏花村”，但与酒相比，这棋似更多了一分清气、仙气。

面对此情此景，棋的胜负便不是第一位的了。胜也罢，负也罢，都不影响那份快乐。一切都在于人的心境，兴头将尽时，依旧高卧酣眠。有山鸟山花相伴，其乐融融，棋翁之意也就不在棋里了。棋之外，更有让你回味不尽的东西。作者写山鸟山花，用一“语”字，一下子就把自然山水中的一切都激活了，它们都像人一样，有了可以表达情感的言语。山鸟山花与人之间也就有了一种契合。

欧阳修在《醉翁亭记》中自号“醉翁”，但又强调“醉翁之意不在酒，在乎山水之间也。山水之乐，得之心而寓之酒也”。这里关键在一“心”字。佛家谓“心生种种法生，心灭种种法灭”，山水之乐，首先要得之于心，然后才能在酒中体会其真趣。棋亦然。《清平乐·围棋》处处关涉一“棋”字，但并不着力于下棋的过程、棋之内的种种曲折，而是将重心放在下棋之境、棋外之意趣，而这一切只能靠“心”去体会。得之心而寓之棋，所谓“翁心不在棋边”，反而更能得棋中之真意。

当然，此中有真意，还需要表达，才能让他人分享。欧阳修说他“醉能同其乐，醒能述以文”，与人同醉，与山水同乐，之后还能“述以文”，且是不同凡响之美文，这就是欧阳修的超人一等之处。同样，刘因以“词”的方式，写棋之妙味，能写得如此自然天成而又动人心旌，也正体现了作者棋里棋外的功力。没有证据表明刘因是弈中高手，但肯定是懂得棋趣之人。作者将人生之道寓之于棋中，又毫无牵强附会之处，毫无人工雕琢痕迹，而是如行云流水，自在天然，一气呵成。所谓清水芙蓉，不光是词的境界，也是人生之境界啊！

原载《围棋天地》2005 年第 15 期

一个棋手的命运

围棋歌赠鲍景远

［明］吴承恩

海内即今推善弈，温州鲍君居第一。
我于二十五年前，已见纵横妙无匹。
当时弱冠游淮安，后来踪迹多江南。
品流不让范元博，收奖先蒙杨邃庵。
能棋处处争雄长，一旦遇君皆怅罔。
甲第公侯饰马迎，玉堂学士题诗访。
去年我客大江东，鸡鸣寺中欣相逢。
四方豪隽会观局，丈室之间围再重。
架肩骈头密无缝，四座寂然凝若梦。
忽时下子巧成功，一笑齐声海潮哄！
朅来解臂各天涯，胡为又见条侯家？
团宾转主十日饮，欢喜连宵通烛花。
河桥鸣冰雪涂树，别我又将何处去？
文楸玉子即为家，野鹤闲云本无住。
由来绝艺合烟霄，何事尘中犹布袍？
愿尔逢人权放着，世间万事忌孤高。

中国古代写小说的人，大抵是生活中的不如意者。小说被当作街谈巷语，大雅君子所不屑为也。但成就他们身后的声名的，又往往就在这“不屑”之事中。《西游记》的作者吴承恩即为其中之一。吴承恩（1500—1582）一生颇为坎坷，祖父曾为学官，父亲却已沦落为小商。他自己据说少有文才，却到四十多岁才成为一名贡生，屡试不第，五十四岁才当上小小的县官，六十多岁辞归乡里，以诗文琴棋自娱，不料歪打正着，正所谓有心栽花花不发，无心插柳柳成荫。

失意之人，也更容易与棋亲近。小说与棋，都是属于小道，吴承恩于这两者都颇为有缘。《西游记》中即多次写到下棋的场面。他与棋手也多有交往。《围棋歌赠鲍景远》即生动地写出了一个棋手的棋艺及其生存状况。

一般认为鲍景远就是浙江永嘉派的开宗领袖鲍一中。吴承恩这首诗中说海内之善弈者，以鲍君居第一。二十五年前，即已纵横天下，难有匹敌。二十岁挟技游于淮安，此后足迹又踏遍江南，其棋艺已不亚于当时的著名棋手范洪，同时也深得杨邃庵的赏识。能棋者处处要与人一争短长，但一旦遇到鲍君就会怅然若失，一身棋艺无从施展。因为鲍君高超的棋艺，豪门贵族纷纷饰马相迎，翰林学士题诗相访，一时门庭若市。诗到这里，渲染的都是鲍君的高超棋艺及其社会影响，为后面的描写做一铺垫。

以下写作者有一次与鲍君相逢，看其与人争棋的情景。鸡鸣寺在南京，北临玄武湖，东对紫金山，得山水之胜。作者二十五年前即见识了鲍君的高超棋艺，这次在鸡鸣寺中喜相逢，更是有幸一睹其棋枰上的风采。这盘棋非同一般，但见四面八方的围棋高手纷纷来观局，将方丈之室围了一重又一重。大家手搭肩，头碰头，围得几乎没有了一点儿缝隙。观棋时，起初大家都屏息静气，四座寂然如夜间入梦一般。而一旦下出妙手，棋盘上风云突变，但见人声鼎沸，笑声如海潮一般涌起，热闹非凡。王世贞《弈旨》中称鲍一中的棋“譬之用兵，鲍如淮阴侯，有抟沙之巧”，常常是以巧取胜，初似平平，却常有出人意料之妙手。吴承恩写鲍君的棋，正是抓住了这一特点，但又不是正面表现，而是通过侧面烘托，从观棋者的角度写出棋赛的跌宕起伏，引人入胜。鲍君的棋艺的高超也就尽显其中。这种笔法，也就像鲍君的棋，有“抟沙之巧”啊！

鲍君虽是善棋之人，但除了围棋，无固定职业、住处。朅者，离去也，解臂即解袂，也即分手。热闹之后，又是天各一方。后来，他们又在条侯家相逢。条侯据称是淮安周于德，乃一武将，却好文修艺，喜与文人名士交游，“开阁延宾，雅歌投壶”，棋手自然也是他接纳的对象。他们互为宾主，常常通宵饮酒和歌下棋，其乐也融融。但世上没有不散的筵席，在冰冻雪飘之时，鲍君又要踏上新的旅程了。作者关切地问：“你离开后又将到何处去呢？”鲍君答：“纹楸玉子就是我的家，我本野鹤闲云，居无定所。”作者劝他：“从来有绝艺的人都能飞黄腾达，为什么你在尘俗中却仍然身无半职，穷困潦倒呢？希望你待人时能放下架子，世上凡事都忌讳过于孤傲清高啊！”这一问一答之间，既包含了作者对鲍君的关切，也活生生地再现出了作为棋手的鲍景远的性格及其生存状况。

笔者曾写过一篇《棋行天下》，谓古代的棋手都像侠客，仗棋行游，一旦打出一片天地，在江湖中奠定声名，有“甲第公侯饰马相迎，玉堂学士题诗相访”，还有普通棋迷的拥戴、关注、吆喝，固然风光一时。但他们也有很多无奈，因为他们的命运是由他人掌握的，他们的家系在棋枰上，处处无家处处家。如果不肯委屈自己，或缺少一些生存的“智慧”，命运也就多蹇了。《围棋歌赠鲍景远》先扬后抑，写出一个棋手由风光到孤寂的生命轨迹。让读者读着读着，便不由自主地生出一声叹惋。鲍君是吴承恩的好友，文中对朋友的那份殷殷关切，时时在字里行间闪现出来。而“何事尘中犹布袍”，大概也包含着作者自身的感慨。所谓不涉己而处处寓己，不写情而处处关情，诗的魅力也正在这里。

原载《围棋天地》2005年第17期

山水之棋

飞泉亭观霞裳与澄波上人对弈

[清]袁枚

棋局临飞瀑，棋声与瀑分。
下山千尺雪，背水两家军。
风里叶如斗，窗前鸟不闻。
浑疑仙子戏，橘叟与桐君。

曾读到清代文人袁枚的另一组诗《随园杂兴》，其中一首曰：

花下开酒觞，觞毕作棋戏。
一杯醉扶床，一局败涂地。
萧萧新竹枝，似有扶我意。
扶起谢东山，一笑吾犹未。

武功中有醉拳，袁枚这里写的便是“醉棋”了。醉拳是一种迷惑敌人之手段，最终是为了战而胜之。“醉棋”却是彻底的自娱，“一杯醉扶床，一局败涂地”，兴之所至，在棋、酒中自有一份放浪疏狂。

读这首诗，顿时理解了袁枚在论诗时所标举的“性灵”。“若夫诗者，心之声也，性情所流露者也。”袁枚本浙江钱塘人氏，乾隆四年中进士，做过几任小官。三十余岁正当人生盛年时便辞官，筑园林于江宁（今南京）小仓山，名随园，人称随园老人。他曾作《随园记》，记重修随园和为园命名的经过。处处突出一个“随”字，随顺自然，随顺一已之性情，优游于诗文、林泉、棋酒中，随时而应，随地而安，正所谓优哉游哉！

有了这一份心态，无论是诗还是棋，自是别有一番境界。《飞泉亭观霞裳与澄波上人对弈》写山水与棋的交融，便尽展棋之魅力。

霞裳为作者门人兼棋友，他们不光经常对弈，也多有诗词唱和。澄波上人为作者僧友。这两人作棋上相争，随园主人作壁上观，自然更多了一份自在与从容。

棋局是摆在一个瀑布前的亭子中，背后千尺雪练，飞流直下，两军对垒，“背水”一战，落子声应和着瀑布声，真是别有一番天地啊！更有那风中之叶，飘摇如斗，窗前鸟声，也已不闻。此情此景，使人疑心，这是仙人之戏啊，就像那巴邛之橘中对弈的老人，像青桐花里的仙子棋会。

唐代段成式的《酉阳杂俎续集》中曾记载一个故事，说东都洛阳龙门，有一禅师在此建佛寺。庭院中有一株桐始花，花里有蜂鸣声，如同人在那里歌吟。禅师细细一看，原来真的是人啊。他用网网起一人，放在纱笼中，忽有数人来笼前邀弈，禅师只好把人从笼里放了出来。

橘叟与桐君，代表的都是仙人之棋。此棋只应天上有，原来人间也曾闻。袁枚便为我们提供了一幅人间仙棋的图画。背水棋阵，棋声、瀑声、风声、鸟声，交织在一起，使人超越尘俗，如入仙境。中国人所想象的神仙世界，也大抵不过如此。

这其中关键就在于对弈之地。下棋可在宫廷，可在闹市，可在茶馆，可在寺院，不同的地方，自然有不同的格调与韵致。而自然之山水，与棋最为相宜。“林间扫石安棋局，岩下分泉递酒杯”总是中国文人的最爱。清代诗人顾陈垿也有一首《偕王树先观察渡钱塘舟中对弈》，也表现了同样的雅趣。诗云：

问渡携棋局，忘言到夕曛。
星辰两手握，吴越一江分。

小壶劫中隐，余音橹外闻。

机心浑不用，仍可狎鸥群。

天上群星璀璨，皓月生辉；江中碧波荡漾，扁舟一叶；舟中枯棋一枰，弈友一对。棋艺如何已无关紧要，仅仅是这种掂子如摘星，对坐如吴越，棋争如壶隐，棋声伴橹声的雅趣就已足令人忘却机心，其乐陶陶。而这种境界正是文士们心向神往的生活和追求！

能在棋中体味壶中之隐，橹外余音，那便是近道了。正是在这一刻，僧与俗、方外与槛内之间，也就取得了沟通。而袁枚在随园住了近五十年，活到八十二岁，一局残棋，一路弈来，潇洒自如，自在淡定，大约也算得上是近道之人了。

原载《围棋天地》2005 年第 22 期

美女，还什么围棋

虞美人·弈

［清］黄景仁

昨宵博簺今宵弈，曲院云屏隔。月明犹界粉窗梅，只此春宵一局不用催。

金枰碎玉敲还寂，觅个中心劫。心知负了晕红腮，忽地笑拈双子倩郎猜。

时下美女棋手吃香，这大约是因为下棋虽然有趣，但长日枯坐，沉溺于激烈的厮杀之中总是太累。此时，如果有点儿美丽的风景可看，既下棋又养眼，总是人生一大乐事。

不过，如今的男棋手，并不一定都解风情。见到美女棋手，常常照宰不误，毫无怜香惜玉之心。唉，这都是比赛惹的祸啊！

中国古代的文人雅士，倒更看重棋之外的“情”与“趣”，反正下棋无非逗个乐子，特别是跟女子下棋，与悦己者弈，胜负更可置之度外。于是，残酷争斗的围棋，也就变得风情万种。不信，就请看看清代文人黄景仁的词《虞美人·弈》。

有人说，文学家往往是生活中的不如意者。黄景仁大约也算得上是其中的一个。早岁因为家贫，刻苦读书，希望以此谋得一官职。为此到处奔波，费尽大半生的心力，终于被授一县级干部的职位。可还没等补上实缺，就一命呜呼了。人生失意之余，便容易到诗文琴棋上找寄托。无心插柳，却发现，原来棋中也有颜如玉啊！

昨宵博簺今宵弈，博为六博，簺也是中国古代的一种盘上棋戏，弈自然是围棋，这里都可以看作是代指，昨晚下棋今晚还下棋。在哪里呢？庭院深深，有云屏相隔，制造一点欲露还藏的效果。“疏影横斜水清浅，暗香浮动月黄昏”，月明之夜，小阁疏窗，有梅花伸进窗内来，摇曳多姿，暗香浮动，春宵一刻，红袖添香夜弈棋。如此赏心乐事，早已让人心痒难熬，跃跃欲试啊！

下片写棋局的进程，却不是一般性地表现棋的进程与胜负，而是棋语、情语双关。棋子落盘，如同碎玉散落在金枰之上，一阵清脆的响声过后，更增一分寂静。双方打起劫来，找的却是一个“中心劫”，这里的“中”既是平声也可读作去声，“劫”与“结”谐音，原来这是心中之结，是情结啊！被对方一下子击中心扉，哪还能抵挡。这一局注定是要输了，脸红耳赤之余，急中生智，忽然笑嘻嘻地拈起棋子，请情郎猜一猜，究竟是成单还是成双啊！对于陷在情网中的人来说，本来拿的就是“双子”，自然是希望好事成双了。

人们把围棋称作“手谈”，其实也是“心谈”啊！子子关情，一阴一阳之谓棋，在黑白子的相互试探、牵挂、缠绕、守望中，自有无限的情意，供你去领会。李渔曾在《闲情偶记·声容部》中说：“但与妇人对垒，无事角胜争雄，宁饶数子，而输彼一筹，则有喜无嗔，笑容可掬；若有心使败，非止当下难堪，且阻后来弈兴矣。纤指拈棋，踌躇不在，静观此态，尽勾销魂，必欲胜之，恐天地间无此忍人也。”怜香惜玉，弈棋亦然。

古典诗词中，写类似充满情趣的闺阁围棋场面的还不少。早在宋代，刘铉就有一首《少年游·戏友人与女子对弈》：

> 石榴花下薄罗衣，睡起却寻棋。未省高低，被伊春笋，拈了白琉璃。
>
> 钏脱钗斜浑不省，意重子声迟。对面痴心，只愁收局，肠断欲输时。

上片写对弈女子睡后初起的衣着神态，以及不让须眉、先拈白子的娇柔好强之态；下面写争棋入迷，无暇整装，冥思苦想；后三句笔锋一转，写友人对娇痴女子的怜惜之情。棋本来被看作是现实生活中人类的生存竞争的再现，男人们驰骋于其中，在痛快淋漓的厮杀中满足攻击性的欲望，也以此证明自身的力量。而随着小女子们的介入，围棋也变得娇柔起来。柔情似水，佳“棋”如梦，大约，这就是美女围棋的魅力。

滚滚红尘，有一个可与之倾谈的人，寂寂院落，寒宵对坐，茶一杯，棋一局，对面痴情，棋心如水，你以如水的柔指，我以如水的心情……

此情此景，想想就够令人神往的了！

原载《围棋天地》2005 年第 19 期

第三辑

爱棋者说

我与围棋的结缘

——《围棋与中国文化》后记

围棋被目之“木野狐”。狐者，美女妖妇也，“忽然一笑千万态，见者十人八九迷”（白居易《古冢狐》）。而我，当有一天，与之邂逅，也就被缠住了，从此深陷其中，迷途难返，自甘沉沦，开始了与“黑白狐仙”的一段剪不断、理还乱、让人欢喜让人忧的情缘。

我大学读的是中文系，读研究生期间攻读俄罗斯文学，在大学讲台，主要讲授比较文学与文化，十余年来，摇唇鼓舌，指点江山，一支羊毫改之乎者也，两片嘴皮论上下古今，忝为青年学者、教授。如此按部就班走下去，兴许能弄个名目，占个山头，太师座上修成正果，亦未可知。没料到，会为狐所媚，罢，罢，罢，桃源洞里，且乐一回。

我的几本书，都是关于俄国文学的。在《陀思妥耶夫斯基与俄罗斯文化精神》的“后记”中，有一段感慨：

> 中国文化向来重视对审美式人生的追求。所谓“春有百花秋有月，夏有凉风冬有雪，若无闲事挂心头，便是人间好时节。”虚融淡泊，自得无碍，自有它动人的魅力。由此，我们总在有意无意地拒绝苦难，拒绝苦难中的拯救与超越。当然，我们也就在心理上拒绝了陀思妥耶夫斯基，拒绝了整个俄罗斯文化所蕴含的那一份悲怆。

陀思妥耶夫斯基的小说充满了人生的苦难、灵魂的分裂与煎熬，有一种让你不敢不想不忍面对又不得不面对的真实与残酷。当我以一种使徒殉道般的悲壮，风萧萧兮易水寒，与作家一道经历了一番“苦难”的洗礼，自以为从此深刻了，超越了，永恒了。但最终我发现，其实我骨子里还是一个典型的中国传统文人，执着于此生此世，一卷书，一杯酒，一盏茶，一局棋。“林间扫石安棋局，岩下分泉递酒杯”，真是一种挡不住的诱惑。我敬佩陀思妥耶夫斯基，却无法亲近他，这注定了，我辈凡俗中人，终于走不到天国去。

我学棋也晚，研究生快毕业时，才接触黑白子。在那段初恋的日子里，如切如磋，如醉如魔，棋艺也突飞猛进。后来，狂热的情感渐渐被代之以朝朝暮暮中一蔬一饭的厮守，在平淡的日子里，棋艺虽不见长，但对其内在魅力似更多了一些领悟。心心相印中，自有一份味永难言的地久天长。

对我来说，从事专业教学与研究，是为饭碗（民以食为天，这当然是正业），把玩围棋，则纯粹是游戏，所谓不务正业、玩物丧志是也。不过，我始终觉得，学问的境界就是游戏。劳作是为生计，总不脱一“苦”字，游戏则是非功利的、自由的、快乐的。所以我总向往，如果做学问也能像玩一样快乐，或者，在游戏中便玩出点学问，该有多好！

也许，我做围棋文化研究便是基于这一点。围棋是游戏、竞技，也是艺术，是一种文化。围棋是中国国粹，而时下人们大多只把它当作了一种纯粹的竞技，如何提高技艺的书籍也层出不穷。而对围棋所包含的深厚的文化意蕴，关注者寥寥。我想有所弥补，陆续写了些围棋与中国文化方面的文章，在《围棋报》《棋牌世界围棋》等报刊连载。当我投石问路，把书稿目录和部分章节寄给上海人民出版社总编室，他们马上给了我回音，对书稿予以了充分肯定。责任编辑张美娣女士来信，称她也是围棋爱好者，读我的书有颇多共鸣，我顿有知音之感，也更坚定了写作的信心。无论是报刊还是出版社的编辑，我与他们本来均素不相识，因为围棋而结缘，使我倍加珍惜！

我把自己的书屋取名为“潇湘听弈庐”。在湘水源头之一的潇水流域，在娥皇、女英“斑竹一枝千滴泪”的地方，有我的故乡。而今，我又在湘江边的长沙，在橘子洲旁结庐而居。潇湘之水养育着我、滋润着我。“听弈”则是拥一屋书，对窗前月，聆听古今弈人的“手谈”，听他们的娓娓诉说。棋静如高山，动如流水。棋枰上有松涛，有竹声，有金戈铁马、大江东去，有和风疏柳、细雨斜织。王禹作《黄州新建小竹楼记》：“小楼两间，与月波楼通。远吞山光，平挹江濑……夏宜急雨，有瀑布声；冬宜密雪，有碎玉声；宜鼓琴，琴调虚畅；宜咏诗，诗韵清绝；宜围棋，子声丁丁然……”小楼夜听潇湘雨，棋子厅堂寂静中，在倾听、对话中，有所领悟，有所会心，“共藏多少意，不语两心知”，正可谓妙味无穷、其乐也融融。

有素心的读者，肯与我茶一杯，棋一局，共赏一曲高山流水，笑傲江湖否？

原载《围棋与中国文化》，何云波著，人民出版社，2001 年

黑白之间

——《围棋与中国文化》引言

天地鸿蒙，有盘古生其中，开天辟地，阳清为天，阴浊为地。天日高一丈，地日厚一尺，盘古日长一丈，如此万八千岁，天数极高，地数极深，天地相去九万里。

天、地相交，而后有人。传说女娲“抟黄土造人”，帮助女娲造人的，相传还有一人，就是伏羲。“男女媾精，万物化生”。现存新疆的一幅唐代墓葬画中，女娲、伏羲均人面蛇身，上身相攀，下尾相交，女右手执规，男左手执矩，天圆地方，规矩可画方圆。男女之外，上有太阳，下有月亮，四周布满星星，人与天地宇宙合一也。

传说伏羲还近取诸身，远取诸物，以画八卦。于是，有了那两个充满神秘的象征意义的符号：“⚊”“⚋”。

“黑白谁能用入玄？千回生死体方圆”（张乔《咏棋子赠弈僧》）。弈者，易也。古老之“弈”不知起源于何时？也许，在天、地、人的阴阳交会中，便暗含了它最初的信息。而当原始时代的先人们，在地上画三五道方格，摆上几根长短不一的树枝，占卜问卦也罢，做攻杀游戏也罢，它肯定就是古老之“弈”的雏形。以后，当方格道数越来越多，游戏也就越来越复杂、有趣味。好之者越来越多，大家沉溺其中，乐此不疲。如果要列举一种与中国人的生活牵扯最多，或者说最能代表中国文化精神的游戏，肯定非围棋莫属。

围棋的别名很多，每一种名称，都可能代表了不同的围棋观念，折射出多种文化信息。围棋最初称“弈”，与以掷骰子赌胜负的“博”为伍，地位自然高不到哪里去。而“黑白”“方圆”“乌鹭”等，都是由棋子、棋盘的颜色、形状派生出来的。棋是盘上的游戏，所以也称“盘戏”，而“楸枰”则是以棋盘代称围棋。十九路棋盘有三百六十一个交叉点，有包括“天元”在内的九个星位，与易理八卦相通，所以又名“星阵”。围棋上天为“星阵”，入地当然就是“鬼阵”了。上穷碧落下黄泉，有一点是共同的，这就是棋枰经天纬地、神鬼莫测，不足为俗人道也。而楸枰为木，棋的魅惑力又如美色，于是围棋又被当作了“木野狐”，联想到中国古人一方面以红颜为“祸水”，另一方面又既爱江山又爱美人，围棋的尴尬处境也就可想而知了。

最能体现围棋的文化精神的，当然是“手谈”“坐隐”“忘忧”“烂柯”“橘中之乐”之类雅称了。“手谈”强调围棋乃是一种特殊的表情达意方式，以棋发言，在无声中交流思想。“坐隐”“忘忧”“烂柯”之类，则表现了方寸棋枰对尘俗世间、庸碌人生的超越。归根结底，围棋代表了人的生命存在、精神追求的一种方式。这恐怕也是围棋被当作“雅事”，被众多“雅人”喜爱的原因。

奇怪的是，围棋作为一种竞技，本质上代表的是人类的生存竞争，充满了激烈的厮杀、冲突，而围棋的名称，都是那么温文尔雅、风情万种。中国文化传统为一种竞技游戏披上了非常优雅的外衣。

竞技源于人类族际、人际间的竞争意识。“物竞天择，优胜劣败”，达尔文的进化论，为我们展示了一幅自然界与人类社会残酷的生存竞争画面。古希腊哲人赫拉克利特说：“应当知道战争对一切都是共同的，斗争就是正义，一切都是通过斗争而产生和消灭的。”因为有竞争，而有人类的不断的自我改造、强化，而有凌驾于众人之上的强者的产生。这种竞争意识在古希腊体现得特别充分。古希腊人的竞争不仅以民族间的战争表现出来，也体现于各种哲学、艺术及体育竞技活动中。古希腊的杰出的悲剧作家们，都是从戏剧比赛中脱颖而出的。哲学家们需要走出书斋，到街头去，参与演讲，展开辩论，在“实战”中赢得声名。古希腊奥林匹克运动会更是充分体现人的勇敢、强悍、力量与智慧的舞台，橄榄树花冠便是给优胜者的最好的奖赏。各种竞技，一方面跟敬神有关，而同时又是人的自由的狂欢。酒神在这里受到特别的拥戴。在神秘的癫狂中，人有了对自我的确信。

“人类成就中最伟大的东西大部分都包含着某种沉醉的成分。”罗素在《西方哲学史》中如是说。竞技，是以人的自由、平等为前提的；竞技，也使人的主观能动性、创造力获得充分的发挥。西方中世纪，人成为上帝的奴仆，人的各种欲望被抑制，在经过漫漫长夜之后，文艺复兴首先解放的就是人的欲望，平等竞争作为一条神圣原则被肯定，个性自由与竞争也就成了资本主义精神的核心。而在生存竞争之外的各类竞技，在西方倒成了真正意义上的精神的游戏。

中国历史上专制、等级社会却并没有为竞技提供平等、自由竞争的基础。中华民族性格也一直与冲突、竞争格格不入。贵和尚中，文质彬彬，然后君子。这使各种斗力的竞技始终处在被压制的状态，而斗智兼斗力的棋戏则被纳入到另一范畴中。《西京杂记》记载“弹棋”的起源：

> 成帝好蹴鞠，群臣以蹴鞠劳体，非至尊所宜，帝曰：“朕好之，可择似而不劳者奏之。”家君（指刘向）作弹棋以献，帝大悦，赐青羔裘，紫丝履，服以朝觐。

蹴鞠，据说是现代足球的前身。中国汉代就有了“足球”，这对一直被中国足球弄得神魂颠倒的球迷们来说，也算是一种安慰：“我们先前比你阔多了。”不过，中国蹴鞠始终没能发展为具有完备竞技体制的现代足球运动，因为它乃“劳体”之物，尊者不为也。劳心者治人，劳力者治于人，弹棋之类不劳力的游戏也就应运而生。

围棋也是属于此类游戏。从本质上说，它满足了中国人的竞争欲、好斗欲，特别是当这种争强好斗在现实生活中被视为非君子所为时，棋盘便成了最好的移“情”之物。在这里，你尽可原形毕露、为所欲为。中国古代，从皇帝宫妃、官宦文人、僧人道士到普通百姓，社会各阶层的人无不痴迷于这种游戏（这有点像二十世纪的足球），它构成了中国人的一种集体无意识，一种全民族性质的“欲望”代偿。

但这种“欲望”宣泄从来都不是名正言顺的。如果说日本在接受了中国围棋后，又逐步建立了完备的竞赛体制，竞技与艺道，乃至宗教之道融合起来，使围棋之技与艺都获得良性发展。中国围棋作为竞技则始终处在自生自灭状态，棋手哪怕是国手，都不过是“技艺之徒”，地位不高，这最终导致了中国古代竞技围棋停滞不前。另一方面，围棋又被艺术化、伦理化、玄妙化，负载了棋之外的许多东西。

围棋从它产生的那一天起，就开始担负起教化的功能。在围棋的起源的传说中，从“尧造围棋，丹朱善之”（战国《世本》）到“尧造围棋，以教子丹朱”（晋朝张华《博物志》）的变化，就不难看出对围棋的教化功能的强调。中国古代把围棋列为“六艺”的教育内容之一，以围棋培养品格、规范礼仪、训练思维。

“教化”是由外而内的，带有一定的强制性，“陶冶”则更偏重人的内心自觉，激发人的主动参与意识。琴棋书画成为人的养性之物。“琴令人寂，棋令人闲”（明代陈继儒《岩栖幽事》），唐代诗人李洞有一首《锦江陪兵部郑侍郎话诗着棋》：

落叶溅吟身，会棋云外人。
海枯搜不尽，天定着长新。
月上分题遍，钟残布子匀。
忘餐两绝境，取意铸陶钧。

前六句分写话诗与着棋，最后两句总括：无论诗与围棋，圣人可以之制驭天下，俗人可以之陶冶情操，得意之处，令人忘食也。

围棋还是一种艺术。古人把琴棋书画并称四艺。而艺术，从本质上说，都是人的一种精神的游戏。人在满足了基本的物质需求之后，便会生出种种精神的需要，于是有了艺术。艺术是非功利的，以自由、快乐、和谐与美为指归。

围棋作为一种竞技，一种战争游戏，当然它首先追求的是胜负。但它作为一门艺术，又常常是符合美的规律的。竞技的本质是冲突，审美追求的则是和谐。古希腊哲学家毕达哥拉斯认为“美是数的和谐”，和谐包含着秩序、匀称、各因素之间的协调。围棋也面临着地与势、先与后、攻与守、得与失、弃与取、局部与整体的种种矛盾，它需要解决的就是如何达到各种矛盾间的均衡、调和。动中之静，对立中的统一，这是棋艺的境界，也是艺术的境界。

围棋是一种竞技游戏，又常常被比附为宇宙之象、人生之道。吴清源先生曾推断，围棋起初乃是古人用来占卜、祭祀的一种工具。联想到围棋与“易”的密切关系，这推断又有一定的道理。《易经》本是一本卜筮之书，通过“阴爻”和“阳爻”的不同组合推演世界万物的运动变化、人事的祸福吉凶，所谓太极生两仪，两仪生四象，四象生八卦……而围棋盘的天元即被当作太极，黑白子即为两仪，“棋法阴阳，道为经纬。清者在天（白子），浊者在地（黑子）”“围奁象天，方局法地”，黑白子中即包含着阴阳乾坤的无穷变化。而棋子的运行，“按五行而布局，循八卦以分门”（施定庵《弈理指归·序》），这其中虽不无附会之处，却正体现了围棋作为胜负之道之外的文化意味。

从形式上说，围棋与其他棋相比是最简单的。象棋是对战争的直接模拟，楚河汉界，两军对垒，每一个子的身份、地位、子力、走法都是固定了的。而围棋却只有黑白子，纵横十九路，形式要素被简化到了极致，包含的变化却没有穷尽，这正所谓最简单、朴素的就是最丰富、复杂的。中国诗歌讲究言有尽而意无穷，意在言外，羚羊挂角，无迹可求；中国绘画在白绢黑墨的“简单”图式中，却蕴含着比西方浓墨重彩的油画更丰富的意味；中国哲学的“道”的最高境界不是“有”，而是“无”。“天下万物皆生于有，有生于无”（《老子》），“无”并非空无，而是事物存在的一种方式。围棋与中国艺术精神的相通，与中国古典哲学的“气”与“道”、“无”与“一”的暗合，正体现了围棋与古老的中华文明的渊源关系。

天圆地方。吴清源先生认为二十一世纪的围棋将是六合之棋，即天地东南西北之调和。围棋的最高境界不是冲突而是和谐。吴先生在这里谈的既是棋，也是一种文化，中国文化追求的境界恰恰就是和谐。当先生从单纯的胜负中超越了出来，他便进入了一个自由的境界。

一阴一阳之谓道。天地阴阳，相生相合，相互感应，相互激荡，宇宙万物由此化生。而黑白子的阴阳交抱似也在昭示着混沌初开之意境。对一些人来说，围棋仅仅是争胜负之物，对另一些人来说，黑白天地却是他们对“道”的体悟。玄之又玄，众妙之门，这是道，也是棋。

原载《体育文化导刊》2003年第5期

黑白有道

——《天圆地方：围棋文化散文选》序

一

围棋是一种游戏。

这是一种关于生存竞争的游戏。大凡人类把现实中的各种争斗游戏化，便有了种种体育竞技。而当以游戏为游心之事，为精神之快乐，它便成了艺术。

黑白子，纵横十几道格子，先人们在这里演绎了无数的厮杀、争斗、悲欢离合。同时它也有着玄妙的意境，包含着宇宙之象、人生之道。“围奁象天，方局法地”，一阴一阳之谓道，围棋，成了中国文化的象征，犹如气功，犹如阴阳八卦。

不知围棋起源于何时。“尧造围棋，以教子丹朱”，这当然是附会。中国人往往喜欢把一些物品的发明权交到某位圣贤手上，这就像一位穷小子，攀上了富亲家，从此有了显赫的身份。但围棋产生于原始时代，却又是大为可能的。当原始时代的先人们，在地上画三五道方格，摆上几颗石子，或几根长短不一的树枝，做圈地、攻杀的游戏，也许，这便是古老之“弈”的雏形。

围棋本为玩物，后来却被赋予了许多别的意义。中国的儒士们，一方面慷慨激昂、壮心不已，一副天将降大任于斯人的样子；另一方面，又不失人好玩的天性。但玩物往往容易丧志，咋办？最好的办法便是将这种“玩物”纳入到正统的规范、体系中，赋予它一种正面的意义，以玩得心安理得、名正言顺，不亦乐乎？不亦君子乎？

对围棋实施“招安”战略的“始作俑者”便是东汉的大名人班固。这之前，围棋的地位一直不高。尽管孔夫子《论语》中就有教导：“饱食终日，无所用心，难矣哉。不有博弈者乎，为之犹贤乎已。”这仅仅是说，如果无所事事，还不如下棋。亚圣孟子则把“博弈好饮酒，不顾父母之养”列为世俗五不孝之一，似乎围棋的盛行已冲击到当时社会的伦理秩序。西汉时，围棋被当作“失礼迷风”“简慢、相轻”之物。围棋所具有的平等、竞争意识与儒家仁、礼之道相冲突，决定了围棋的被贬抑。而班固却大大突出了围棋的正面意义：“局必方正，象地则也。道必正直，神明德也。棋有白黑，阴阳分也。骈罗列布，效天文也。四象既陈，行之在人，盖王政也。成败臧否，为仁由己，危之正也”。文以载道，棋亦载道，本为“技艺”的围棋，拥有了“道”的身份，也就获得了意义，有了存在的依据。

不过，围棋史上也一直不乏反对派。三国时吴地棋风盛行，人们“多不务经术，好玩博弈，废事弃业，忘寝与食，穷日尽明，继以脂烛”。乃至吴太子孙和要命群臣作《博弈论》，据说共获六篇，唯韦曜之作独占鳌头。韦大人也确实了得，引经据典，苦口婆心，循循善诱，义正辞严，拳拳之心天人可鉴。可惜韦大人的努力，无济于事。“青山遮不住，毕竟东流去。”到魏晋南北朝时，竟迎来了中国围棋的第一个黄金时代。

魏晋时，围棋观念的一大变化就是确立了围棋作为“戏”的独立存在的价值，并把它纳入到“艺”的范畴。这之前，无论赞成还是反对，都不脱功利之心。韦曜说围棋“胜敌无封爵之赏，获地无兼土之实，技非六艺，用非经国，立身者不阶其术，征选者不由其道。……而空妨日废业，终无补益”。班固则强调围棋“上有天地之象，次有帝王之治，中有五霸之权，下有战国之事，览其得失，古今略备”。这两种观点，看起来针锋相对，实际上出发点或看问题的角度并无分别。

魏晋士人则反其道而行之：“生年不满百，常怀千岁忧。昼短苦夜长，何不秉烛游？为乐当及时，何能待来兹？”他们把足以引起人的精神愉悦的活动都称为“戏”，并确立了“戏”的价值。嵇康有诗曰：“琴棋自乐，远游可珍。

含道独往，弃智遗身。寂乎无累，何求与人？长寄灵岳，怡智养神。”寄情于诗酒琴棋山水，成了他们释放自我的一种方式。与此同时，围棋也正式成为一种“艺”，并有了完善的品第制度。诗有《诗品》，画有《画品》，书有《书品》，棋则有《棋品》。沈约《棋品序》称围棋“体希微之趣，含奇正之情；静则合道，动必合变。若夫入神造极之灵，经武纬文之德，故可与和乐等妙，上艺齐工”。

在中国古代，“艺”有“技艺”与“道艺”之分。“道艺”指儒家六艺：礼、乐、射、御、书、数。甚至就指六经，拥有显赫的身份。“技艺”则是各类“术”“技”，如医、卜、算、书画、博弈等，执此业者则为“技艺之徒”。韦曜说围棋“考之于道艺，则非孙氏之门也”，沈约则说它“可与和乐等妙，上艺齐工”，上艺者，道艺也。沈约不仅肯定了围棋是“艺”，同时还强调此“艺”非彼“艺”，用心可谓良苦。到唐代，琴、棋、书、画并称，棋正式成为“四艺”之一。

中国围棋大致包含“技”“戏”“艺”“道”四个方面。“技”即“技艺”，“戏”即“游戏”，“艺”即“艺术”，“道”即棋道，人生、宇宙之道。中国从唐代开始出现职业或半职业的棋手，他们或做宫廷棋待诏，或依托于达官，或在茶楼酒肆陪人下棋、赌彩为生。但奇怪的是，当某种“艺术”一旦成为职业，操此职业者成为“技艺之徒”，地位便急剧下降。棋史上曾有一传说，南宋棋待诏沈之才一日在宫中与人对弈，宋高宗观棋。见沈之棋有危急，谕曰：“切需仔细。”之才对曰：“念兹在兹。”上怒：“技艺之徒，乃敢对朕引经耶？”命内侍省打竹篦逐出。棋待诏乃国手，实际上却不过是充当帝王享乐的工具。“技艺之徒”竟敢引经据典，那就叫不识天高地厚了。

“技”与“道”，往往成了区分棋品、人品高下的分水岭。正因为如此，当人们想要拔高棋手的品位时，往往便要淡化他们作为棋手职业的一面，而将他们雅化、名士化。瞿世寿《〈不古编〉序》称国手吴瑞征“视其所操之技，则弈也；察其所藏之蕴，非弈也”。而明末国手过百龄“以相国之招而不去，以金吾之祸而不避，至知国家之倾覆而急归，为公卿门下客者，垂四十年，而未尝有干请”（《过百龄传》）。“比德”者尊，“执技”者下，典型地体现了中国文化的重道轻技传统。

与此同时，文人们以棋为一种爱好，就像他们喜欢在绢、纸上随意挥洒、笔走龙蛇一样，下棋便成了一种雅尚，一种赏心乐事。棋有文人棋和棋士棋，画有文人画与画师画，两者在品位上竟也分出了高下。只是书、画孰好孰坏，由文人说了算。棋枰对弈，却是立马就要分出高下来的。文人往往技不如人，索性看淡胜负，以“胜固欣然，败亦可喜”“善弈不如善观”相标榜。钱谦益称“余不能棋而好观棋，又好观国手之棋”，观棋而“语”、为人作序的同时，又作了许多观棋诗。张潮作《棋论》，谓翰墨棋酒，乃人生必需，“春雨宜读书，夏雨宜弈棋，秋雨宜检藏，冬雨宜饮酒……春听鸟声，夏听蝉声，秋听虫声，冬听雪声。白昼听棋声，月下听箫声，山中听松声，水际听欸乃声，方不虚此生耳”。围棋艺术化，人生审美化，正是中国围棋也是中国文化的动人之处。想想，当“秋气晴美，天光照席，水波不兴”之时，扁舟一叶，棋枰一局，“江山之胜尽入局中”，该是一种多么令人神往之妙境。

游戏之事，或被当作饭碗，或被当作一种精神的艺术，小小黑白子，也就具有了别样的意义。而无论棋士还是文人，他们都愿意把围棋风雅化、玄妙化，以显示自己所执之“技”或所好之“艺”的不同凡响之处。中国思想文化的源头是《易经》，中国经籍中最玄妙的也是《易经》。于是，将“弈”与“易”并举，甚至强调“弈”本身就是“易”，便成为一种时尚。《兼山堂弈谱·序》称“弈之为言，易也，小数之乎哉。弈者变易也，自一变以至千万变，有其不变，以通于无所不变”。《弈理指归》称棋乃“按五行而布局，循八卦以分门”。汪缙《弈喻》以棋为“易”、为“天技”。如此种种，几乎成了论棋者不变的“定式”。

不过，当中国围棋被日益艺术化、玄妙化，日益成为一种“雅玩”时，它作为竞技的一面又被大大弱化了。竞技得以真正实现的前提是人的自由与平等，中国封建社会恰恰缺乏平等竞争的机制。中国古代围棋基本上是一种“玩物”，处在自生自灭状态，从未建立过完备的竞赛体制。而在文化观念上，中国文化重“和”忌“争”，作为争胜之道的围棋，或被当做“害、诈、争、伪”之物被贬抑，或被纳入到“仁”“礼”“和”的轨道中。“彼简易而得之，宽裕而陈之，安徐而应之，舒缓而胜之”（《弈棋·序》），被认为是棋的取胜之道的最高境界。即便要赢，最好“赢止半子”，赢多者，嗜杀者也，非君子也（《弈喻》）。而事实上，中国古棋大多嗜杀，棋盘上硝烟弥漫，纸上谈兵时又如此的温文尔雅，理论与实践的脱节成了中国古代围棋的一种有趣现象。

中国围棋，在清中叶以范西屏、施定庵“双子星座”的出现为标志达到顶峰，此后，则江河日下。这固然是因国运衰棋运亦衰，另一方面也有文化土壤、围棋观念上的原因。二十世纪，在中国文化转型的大背景下，中国围棋也开始了它的蜕变。

二

当围棋在他的故乡日趋没落时，与中国一衣带水的一个岛国，吸收了中国围棋后又将它发扬光大。于是，古老的围棋拥有了第二故乡，重新焕发出生命之光。

这个岛国就是日本。

1909 年，日本一个普通的四段棋手高部道平到中国来横扫中国棋坛，中国所有名手都被打到让二至三子。中国棋界震惊了。山中才七日，世上已千年，中国棋界的闭关自守从此被打破。

日本围棋对中国围棋的改造，就是首先让围棋回归到它的本来状态：竞技，并建立了完备的竞争机制。金克木先生说：“日本棋士是专业，着重争斗、胜负。中国人下棋多是作为业余，含有表演意味，……日本棋士是战士。中国棋士是艺人。”让一个提着刀的武士与一个拿着折扇的艺人同场较技，结果可想而知。其次，它敢于打破中国古棋的种种陈规，比如座子制，棋盘上顿时有了更广阔的供人自由挥洒的天地。

竞技之道与艺道、宗教之道的高度融合，所谓菊与刀，造就了日本棋道。中国围棋的转型就是在日本围棋这种外力的推动下开始的。一种文化的转型，注定要在与他种文化的交汇中获得契机与动力。

一个伟大的棋手也正是在这文化的交汇点上横空出世了。他便是一代大师吴清源。

吴清源是二十世纪一个伟大的棋手，一个胜负师，他更是围棋文化的巨匠，一个以棋发言的思想家、悟道者。也正因为如此，吴清源才会受到棋界内外如此众多的关注。

郑也夫在《围棋·文化·边际人》一文中将吴清源称作一个“文化的边际人”。其实，二十世纪不少有成就的棋士都曾脚踏两种文化：韩国的赵南哲、曹薰铉、赵治勋、柳时熏、赵善津，作为中华儿女的顾水如、林海峰、王立诚、王铭琬……他们都曾在当时围棋最发达的日本修业，其后或回到自己的祖国传播围棋的火种，或留在日本拼搏取得杰出成就。当然，吴清源是其中最耀眼、最具代表性的一个。

吴清源是个文化的漫游者，他曾自称是个“国际游民”。他生长在动乱的年代，其后又长期客居他乡，在战乱和颠沛流离中历尽生活的艰辛。但另一方面，游弋于中日文化之间的经历，又使他得以吸收中国与日本围棋文化的养分，兼收并蓄，最终成就他在棋盘上的伟业，人生中的大修为。同时，当日本围棋发展到一定阶段后又日益“程式化”“僵化”时，吴清源作为一个文化的边缘人，他在吸取了“主流文化”（或曰“中心文化”）的长处时，又保持了来自边缘的客观性、超越性、批判性。这两者的融合，往往能造就一种“特异”的气质与才干。也正因为这种在“中心”与“边缘”之间游弋所造就的特异禀赋，才有了吴清源对主流传统的批判，在棋盘上的自由挥洒、不断创造。

如果说两种文化的汇通为吴清源的棋艺提供了多种养分，信仰则成了他的精神支柱。吴先生认为，他的一生都是在胜负与信仰中两路兼行，一方面作为棋士，在残酷的胜负世界中奉行武道；另一方面，将东方哲学思想当作人生的指南而自我陶醉于丰富的精神世界里。胜负与信仰，如同人离不开水与火一样，缺一都不可。

围棋固然是艺术，但又是一个赤裸裸的胜负世界，胜者为王败者寇，容不得任何的洒脱与浪漫。而像吴清源这类“外来者”，要融入到主流社会，被主流所接纳，就面临着更多的困难与艰辛。在残酷的胜负世界里，他们是被逼到悬崖上的斗士，没有任何的退路，只有勇往直前，争取胜利，所以他们不得不为此付出更多的努力。他们在绝境中所焕发的斗志、所激发出的人的全部潜能，也是惊人的。从1939年的“镰仓十番棋”开始，到1955年与高川本因坊的大战，吴清源在十番胜负的舞台上坐擂十回，对手包括当时所有的最强者，他将这些对手几乎全部打入先相先以至长先的境地，由此得了个称号：十番棋的吴清源。但吴清源事后却无限感慨：“十番棋”这种争斗形式，真是太残酷了，它就像悬崖上的白刃格斗，若不是身临其境地去尝试一下，断然体会不出那种恐怖的滋味。读读吴先生回忆录中的其中一节《镰仓十番棋》，读者定会深有同感。

吴清源在十番棋擂台上的胜利，表面上看起来风光八面，但他的付出，他所承受的压力，恐怕也是常人难以想象的。吴曾把擂争叫作“用棋士生命作赌注的十番棋”。作为“外来者”，一旦被赶下擂台，就可能意味着棋士生命的结束。面对这种巨大的压力，有的人可能因无法承受而告败，吴清源却始终临危不惧、镇定自若，将自己的潜能发挥到极致。为何能如此？吴清源先生曾总结道：“我认为，我能超越民族和国境的界限，能保持镇静，临危不乱地奋战到底，这全都归结于我的信仰。”

为了追求信仰，吴先生也曾走过弯路，但他始终无怨无悔。在他看来，人的一世就是修行一世，无论是赢，还是输。

纵观吴清源的一生，既是作为大棋士在胜负世界里拼争的一生，也是作为宗教家修行悟道的一生。一为入世道、武道，一为出世道、信仰道，这看似矛盾的两个方面，在他身上如此完美地统一在一起，使他仿佛成了一尊“胜负里的慈佛”。金庸先生在《崇高的人生境界》一文中称其为“大宗师”：

> 佛家禅宗教人修为当持“平常心”。吴先生在弈艺中也教人持“平常心”。到了这境界，弈棋非但不是小道，而是心灵修为的大道了。吴先生爱读《易经》《中庸》。他的弈艺，有哲学思想和悟道做背景，所以是一代的大宗师，而不仅仅是二十年中无敌于天下的大高手。大

高手时见，大宗师却千百年而不得一。

师兄桥本宇太郎称其为“昭和棋圣”，又像“禅房里修行多年的高僧”。

世有“棋圣”，也不乏“高僧”，然而能将这两者合二为一的则吴清源一人而已。信仰，为他提供了精神的动力、人生的支撑。信仰使吴清源在残酷的胜负世界里反而有了一份平常心，一份超出于常人的大无畏的勇气。他摈弃了胜负之念，反而使他成了可怕的胜负师。吴清源的手下败将藤泽库之助曾心悦诚服地指出：“吴氏棋艺已达‘真剑化’，实已与围棋混为一体。”这是剑道、棋道，同时也是一种宗教的境界。

川端康成在小说《名人》中认为，日本的武道、艺道同宗教的教义都是息息相通的，围棋是最好的象征。“胜负里的慈佛”，大概就是棋道与宗教相通后的一种境界吧！吴清源是少数达到了这种境界的人之一。他一生孜孜于棋道与人生之道的探索，两路兼行，都颇有所获，最后将两者高度统一在一起，获得棋道之真谛与人生的大解悟。丰子恺在追忆弘一法师的一篇文章中曾说：“艺术的最高点与宗教相接近……艺术的精神，正是宗教的。”宗教作为一种精神，归根结底，乃是对人生究竟的追问及其精神的超越，是人类的一种自我拯救及对人的终极价值的寻求。当吴清源不断向围棋与人生的顶峰攀登，是否也超越了常人肉眼的视线，看到了许多眼睛看不见的东西呢？对于吴清源的信仰，俗人恐怕就难用恋世和厌世、积极和消极来置一褒贬之辞了。

“经一生的磨炼，在棋中悟‘道’，在宗教中达‘理’，修成文武双全、人格和谐，性灵与日月同光。”先生在其自传《天外有天》中的最后一句话，似乎成了其人生的写照。吴清源认为，围棋的最高境界不是冲突，而是和谐。吴清源一生都游弋于两种文化（中日文化）、两种人生（胜负与信仰）之间，一生都在各种冲突中寻找和谐。当他在与自我、与他人、与自然的关系中达到了心灵的和谐，他同时也就在棋盘内实现了理想的和谐之境。和谐，乃是中国文化所追求的最高境界。对吴清源来说，和谐就是他的宗教，这是一种棋的艺术、精神的艺术、人生的艺术。

三

笔者在贵阳围棋文化节上第一次见到了吴清源先生。在开幕式的开棋仪式上，他将第一手棋放在了棋盘正北中间的那个星位上，据说乃是源于易卦的“天一生水”。在《五环夜话》的录制现场，听他侃侃而谈。近九十的老人，一进入围棋世界，就变得生气勃勃。两个多小时，毫无倦意，谈棋道，谈人生，谈二十一世纪围棋，似乎他的整个身心也与围棋融为一体了。这时，我明白了，胜负早已成为过眼烟云，而吴先生身上的另外一些东西，却是更值得人细加回味的。

郑也夫在《功利·游戏·求道》一文中，将人生分为功利人生、游戏人生、求道人生三个层面。功利是为了满足人的种种欲望，游戏则更看中精神的快乐，求道则是“一种穷根问底的人生，一种为生活寻找根据的人生，一种努力把渺小的自我融入博大的关怀中的人生”。人类的一切活动对当事者来说都可能成为游戏，只要他沉醉于活动本身，淡漠于其结果导致的收益。同样，人类的一切地道的游戏也可能会成为当事者的“工作”，只要他是完全为了求功利求报偿而投入其中的。吴清源先生无疑是一位纯正的游戏大师，因为他最完整地保持了作为一名棋手的本色，最执着棋艺，淡泊身外之物。过于功利容易使人患得患失，而游戏因为放弃了游戏效益及游戏之外因素的考虑，不为“盘外”形势所动，对棋道更趋于执着，又最有可能接近棋与人生之大道。

可惜，当今社会却是过于功利的社会。围棋这种游戏被当作“饭碗”，原也是大势所趋，无可厚非。但是，当人们完全是为了“求功利求报偿而投入其中”时，就不能不令人沮丧了。二十世纪的中国围棋，日益走上竞技化的道路，它使中国围棋在技术层面取得突飞猛进的进步。毋庸讳言，现代围棋也在日益失去许多东西。当人们为沉重的胜负压得喘不过气来，围棋的思想、围棋的美、围棋的艺术、围棋的快乐也就日益丧失。李洁非在《意在棋先》中，对此表达痛切的感受：“围棋到了现代，愈益制度化、商业化、锦标化、国际化，它的竞技强度和水平确实都大大提高了，但与此同时，棋手和围棋本身的天真、个性、自由的本质却明显受到严重的挤压。金钱、名誉、地位甚至政治，都在对围棋发出各种诱惑与支配，使棋手心灵意识愈益不天真、不自由，甚至与围棋的本质愈益疏隔。长此以往，吾恐围棋将被釜底抽薪，从深富哲学、艺术底蕴的伟大的人文体系降低为一种雕虫小技般的空心之物。这应该说是在现代性笼罩之下围棋面临的一大挑战。”

围棋是竞技,也是艺术。在激烈的胜负之争中,它还应该包含着艺术的创造。

不少棋手，为名次、头衔、奖金计，太务实、太功利、太“形器”。围棋，也就日益失去了一种魅力。也许正因为如此，李洁非这位文人兼棋迷，看到在第三届“农心杯”三国擂台赛上罗洗河执白对崔哲瀚的那盘棋,罗本可平稳取胜,却突发奇想毅然放弃不菲之角地，作屠龙之毫举。目睹这戏剧性一幕，作者竟感到一种“巨大的震撼”。在他看来，与战战兢兢以求一胜的棋手相比，罗洗河此役显然在追求一种他认为更重要的东西：一种跨越得失荣辱的棋盘上的唯美主义，一种对围棋内在的纯净的游戏意识的还原，一种直面本心的享受围棋的快乐主义精神。

一个普通的棋迷，会为也许在罗洗河看来当然的一手而感动，也会为一个棋手普普通通的关于围棋境界的感悟而欣喜。“抛开了简单的胜负，我的棋盘一定会变得很大，那样，我眼中的世界也将是很大很大。”（黄弈中语）也许是因为，这普通的一切恰恰又是我们所缺乏的。当一个棋手一心只盯着胜负的世界，而在学识、修养、人生境界方面不能获得相应的提高，那他有可能成为大高手，却绝对无法成为一代宗师。由此想到在中国围棋史上曾分别标志了一个时代的聂卫平、马晓春，想到马晓春在 1995 年夺得富士通冠军后聂、马的一段恩怨。麦天枢由聂、马之争，谈“围棋的境界”。在他看来，琴棋书画这四个字是中国传统文化的某种标志，“那种凝神屏气的哲学的思考，相互碰撞中闪现的杰出的智慧，那种超越常人的精神的质量，那种从容谈兵中心灵境界的修炼程度，都远远不是更多地靠天资和机运吃饭的明星们所能比拟的”。围棋国手，作为一种智慧的创造者，也就比一般的明星有了更多的文化担承。如果过于看重名利而少了不凡的学养、宽广的胸怀、崇高的人生境界，当然也就没有了如吴清源一般的思想者、文化大师，也就无法负担起时代所赋予的伟大、崇高的使命。

也许，我们有理由对中国围棋新生代表的棋手常昊寄予某种期望。以常昊的资质、棋力，他登上世界棋坛顶峰应是迟早的事。他一次次的功亏一篑，恐怕非技不如人，而是被杂念所累。再加一番修悟，他一定会登临绝顶的。只是我们的期望不仅于此。中国围棋需要冲锋陷阵的战士，需要胜负的王者，但更需要大师，需要精神的领袖，而后者，是需要机遇，需要先天的禀赋和一生的修炼的。

四

在中国古代，某种艺术一成为职业，执此业者便成“匠人”“技艺之徒”。而今，在职业化、商业化的时代，注定了文体明星成了大众的宠儿、偶像，由他们负担起“为国争光”的重任，引领着时代的风尚，他们的一举一动、一言一行都牵动着亿万人的心。而众多的棋迷，所谓业余爱好者，他们只能充当陪衬人、捧场者、吆喝者。如要写一部二十世纪中国围棋史，他们往往是可以被忽略不计的。

然而，正是这些棋迷，他们又是真正纯正的游戏者。做各种“迷”，无论书迷、乐迷，还是球迷、棋迷，大都是亏本的买卖，“胜敌无封爵之赏，获地无兼土之实”，但仍旧沉迷其中，乐而忘返，“忘寝与食”。他们唯一所求的便是一份精神的快乐。他们可以在工余，在田间，甚至在围棋被当作封、资、修禁止的时代，在极端困苦的日子里，“一枰忘万事”，空虚的心灵有了寄托，枯燥平淡的生活有了一丝色彩。他们的水平可以不高，棋具可以非常简陋：用纸画的棋盘，用泥巴、石子、纽扣、马赛克做的棋子，对弈之地可以在地上，在公园石凳、长椅，在床头，这一切都丝毫不影响他们的兴致。围棋的魅力，也正是在这里获得了最充分的展示。

古人曾把围棋比作“木野狐”，这真是一个绝妙的比喻。狐者，美女妖妇也，“忽然一笑千万态，见者十人八九迷”（白居易《古冢狐》）。这黑白世界的精灵，永远有着挡不住的魅力，诱惑着你，走近她，与她相厮相守，而无需任何的理由。“如果你定要爱我，请别问为了什么……只请你为了爱情而爱我”，这是一度瘫痪的勃郎宁夫人写给她所爱的人的诗。而棋迷，对围棋的爱，大约也是如此。因为爱，而有所感，有所悟，于是有了一篇篇让人心动的文字。

王华的《黑白》写一个村庄，从祖辈开始，一代一代倾心于一种叫“黑白”的游戏。作为外来者的“我”问，为何把围棋称作“黑白”。一位种田状元答曰：“俺这儿的人常说，天上的云是白的，地下的泥是黑的，所以这黑白才变化无穷，没有止境啊。”天上的云，地上的泥，“黑白”也就拥有了一股清香的泥土气息，一种素朴之美。

围棋是什么？每个人心目中，也许都有自己的答案。正像《感悟围棋》中所说，在不谙世事的孩子眼里，围棋是“一群乌鸦与一群喜鹊在林中自由地飞翔”；饱经风霜的老人则把围棋当作“一部承载往事的书籍，白纸黑字，历历在目”；浪漫的诗人说围棋“一半是海水，一半是蓝天”；恋爱中的男女回答又有不同：“黑白子是一对相亲相知的生死恋人。”在这里，“黑白”就是生命的感悟，就是一种人生。

而当好棋的文人们也纷纷坐而论道时，围棋又具有了一种更深厚的文化内涵。“天圆地方，人居其中。”金克木先生从中国哲学与艺术的角度纵论围棋之道，在老人的心目中，棋乃思想、文化、技术的总和，棋之道，有时往往处在“语言意识之外”，如同佛禅，需要你去慢慢领悟。书法家、易学研究家章秋农先生自称不懂棋，却在《周易》、筷子、围棋、烹调、书法中找到了围棋与中国文化的内在相通处。王干、陆建德谈围棋、巴尔特、对话、阅读……围棋作为“手谈”被当作一种对话的艺术，棋谱成了一种“可读”乃至“可写”的文本。于是，围棋这一古老的东方艺术与西方当代结构主义大师，又遥相对话，彼亦一是非，此亦一是非，无可无不可，是棋也，非棋也？围棋，也就在这种是是非非中变得丰富。

职业棋手、文化人、普通棋迷，他们似乎都是各自从不同的角度在解读围棋。写过《黑白之道》《境界——关于围棋文化的思考》等著作的胡廷楣先生有一次曾跟我谈到，有职业棋手看过章秋农先生谈围棋的文章，认为章秋农根本不懂棋。而反过来，一些文化人也常感叹，一些职业棋手下了一辈子棋，却并不一定能悟得围棋之道。也许，他们心目中的围棋其实并不完全是一个东西，有竞技之棋，有文化、艺术之棋。立场、视角的差异往往造成了两者的隔膜，无法实现真正的沟通、对话。“不识庐山真面目，只缘身在此山中。”其实，正是有了棋内棋外之人从各自角度对围棋的阅读，围棋才可能变得完整、走向深刻。

这本《围棋文化散文选》便仿佛是为古往今来各路英雄提供一个纵论围棋之道的舞台。这里有古人论弈道，说弈事，有二十世纪的各类棋人棋事，有各色人等对围棋的感悟。有对话，有独白。众声喧哗，围棋也就有了万千的气象，丰富的色彩。令人奇怪的是，古代各类棋谱中尚收一些棋论文字，当今围棋技术的书籍层出不穷，却少有人肯在古老的围棋文化园地里驻足片刻。中国围棋文化源远流长，这册荟萃围棋文化散文的小书，一不小心竟博得个头彩，令人感慨。围棋当然是供人下的，以胜负为要，但茶余饭后，在案边，在床头，翻开这本小书，一路行来，也许你时时会有所发现，有所会心：原来围棋也是可以这样去“读”的。

原载《书屋》2003 年第 8 期，收入《中国围棋年鉴》2004 年版

爱棋者说

——《棋行天下》后记

世上的事情大约可分为两类：一类是需要理性的督促、意志的磨炼去做的，比如德行，比如建功立业；一类则完全出自你的本心，无须号召即乐此不疲，甘之如饴。下棋之类的游戏便属于后者。

孔子说："吾未闻好德如好色者也。"围棋似与"色"更接近，所以才有"木野狐"、有"棋色"之说。好德需要后天的培养，好色却是人的本性。所以围棋才会如此风情万种、分外妖娆，魅惑人就如同那美女狐啊！

初识木野狐，已经是二十好几的大龄青年了。因为是迟来的爱，所以更加痴迷，更加癫狂，更加懂得珍惜。做学问之余，与棋厮守，那种感觉，用一句歌词的话说就是"读你千遍也不厌倦，读你的感觉像三月"。

那人世间的婚姻，相识越久越熟悉，便会越觉得无话可说。而跟木野狐的交往却像坛子里的酒，时间越久越醇厚，滋味越绵长。与之相守久了，便越发想去理解她，读懂她，并且，将自己的感受表达出来，与人分享。所以，陆陆续续写下了不少有关围棋的文字。

不过，很长一段时间，更多的是对围棋做一种理性解读。写《围棋与中国文化》，包括后来做博士论文《围棋与中国文艺精神》，都是把围棋当作研究对象，做一种居高临下式的审视。那围棋成了供人赏玩的风景，情感上便总觉得隔了一层。并且，因为围棋拿到博士头衔，总有一种以"爱"的名义谋取私利的不安。

其实，爱一个人，留一段情，是不需要太多理性的思考、判断的。黑与白，是世界上两种最纯粹的颜色。黑白子的相拥相偎，便有了许多动人的故事，许多的感动，可以供你去细细品味。

《棋行天下》便力图以本真的情感走近围棋，去诉说一段黑白情怀。曾走过不少留下围棋踪迹的地方，直接面对那一方山水，那一城一郭，一草一木，去触摸、感受黑白子的精魂，于是有了那一组“黑白之旅”；“感悟围棋”则更像守在同一方屋檐下，在平淡的日子里的唠叨、絮语；“观棋者语”大多为笔者围棋著述的前言后记及有关围棋书刊的评论，站在一边看风景，自另有一番情趣；“网上棋缘”续的是与围棋的另一段缘分。以“黑白仙子”的名分，去泡“围棋”帅哥，与其打闹、嬉戏、调口味，围棋也就平添了别样的风情。

说到“黑白仙子”就不能不提到洪洲兄，都是他做“网托”才让俺上的瘾。想当初，俺们可是真正的菜鸟，连发帖都不会啊。洪洲兄当年写《一盘没有下完的棋》的风光就不说了。而今他已是古稀之年，却仿佛越活越年轻，黑白顽主玩黑白，在网上跟那帮兄弟姐妹打得火热，活到老，学到老，不仅当围棋论坛“斑竹”，还自己做起个人网页来。看洪老兄活得那么有滋有味，方才真正领悟什么叫人生从六十岁才开始。既如此，俺们又何必老以“何什么老”自居，总在那里端着呢？

《棋行天下》作为我的第一本散文集，便可算是放下所谓的学者的架子，试探着由庙堂入江湖的第一步。而这一步完全是因为围棋，真要感谢这一段缘分。棋行天下，与黑白狐仙结伴，一路行来，这一辈子大约也就不会再寂寞了。

原载《棋行天下》，何云波著，湖南文艺出版社，2004 年

游戏的境界

——《弈境：围棋与中国文艺精神》后记

暑期蜗居在长沙的斗室里，一边读书，一边寻找博士论文写作的感觉。寻寻觅觅，灵感千呼万唤难出来，索性抛开书本，漂流去。

地处湘南的东江，那水清得真是可以透彻人的肺腑。在漂流的起点，坐在长条形的橡皮船上，闸门一开，船嗖的一声冲了下去，一个浪接着又一个浪，船似乎随时都有被掀翻的可能，惊险，刺激。慢慢地大家都习惯了，于是每过一个险滩，都撺掇船工奔最大的浪去。船工也很卖力，很配合。到最后一个滩，船工兴之所至，说再来一个更刺激的。他把船横过来，对着浪头而去。险滩，巨浪，尖叫声中，船已颠了过去。一切平息下来，我们与船工聊天，说有的船为图省力和安全，往往有意避开大浪，还是我们的师傅技艺高超。船工说，他刚开始也翻过船，挺紧张的，现在根本不当回事了，就跟玩似的。

听着船工无不自得的话语，我马上联想起庖丁解牛，“奏刀騞然，莫不中音，合于桑林之舞”，“以神遇而不以目视，官知止而神欲行。……提刀而立，为之四顾，为之踌躇满志”。玩者，戏也，将某种劳作化作了精神的游戏，且具有了艺术之美，此即“技进于道”之谓乎？

如果做学问就是我的“工作”，我也一直很向往可以做到像船工那样的境界，“就跟玩似的”。所以我在从事文学研究之余，又挑了一样“好玩”的东西——围棋。作为副业，起初是把玩，玩着玩着就发现，这里面其实大有学问。写完《围棋与中国文化》，便想着把围棋与中国文学艺术的关系做些清理。导师开明，同意我以此做博士论文。曹老师在开题报告会上谈到同意的理由：现在不少学者都在清理中国传统的文学、艺术理论话语，我以围棋之艺为切入点，做比较研究，也许可以从形而下的层面开辟一条新的路径。

确实，围棋是一种游戏，一种形而下之技，但它又被当作艺术，虽小道而通于大道。形而下之技与形而上之道究竟是怎么被打通的？围棋这类竞技性游戏，为什么有着审美的意义？弈何以成为艺，艺在中国古代又为何物？弈境与艺境有何相通处？一个又一个的问题接踵而来，深入下去，便涉及整个中国传统知识的构型、意义生成。以游玩的心情进去，越往里走，越像走进了一个诱人的迷宫。歧路彷徨，乱花渐欲迷人眼，不知今夕是何夕。但在寻寻觅觅中，一旦自觉有所发现，有所会心，那种快乐的心情，用一句棋迷的话说，就跟下棋吃了对手大龙似的。

感谢我的硕士生导师张铁夫教授，是他把我领进俄罗斯文学那块广袤的土地。感谢博士生导师曹顺庆教授，在他的指点下，我得以完善自己的知识结构，在中国文化、文论领域感受别样的风景。感谢川大的其他师长和学友们。非常怀念在川大的那些日子，学友们在望江楼旁、黄龙溪的乌篷船上、大榕树下，喝茶、下棋、谈学问。常常，我们在清谈时，边上麻将、棋牌一字儿排开，大家各就其位，各得其乐。这真是一幅意味深长的画面。也许，这就是生活。至今回想起来，犹有一份让人心动的感觉。

原载《围棋天地》2006 年第 13 期

弈与艺：一种跨学科的考察

——《弈境：围棋与中国文艺精神》绪论

一

“此局白体用寒瘦，固非劲敌，而黑寄纤秾于淡泊之中，寓神俊于形骸之外，所谓形人而我无形，庶几空诸所有故能无所不有也。”

“化机流行，无所迹象；百工造极，咸出自然。则棋之止于中正，犹琴之止于淡雅也。”

这两段话分别出自清代国手徐星友和施定庵。以诗文的审美标准来论弈，弈与艺、文，也就取得了沟通。

围棋本来是一种竞技性游戏。当这种“技”与“戏”更多的与精神的愉悦、人生的解悟联系在一起，也就具有了审美的意义。琴棋书画，围棋也就成了艺术家族之一员。

而到二十世纪，围棋又被纳入到体育竞技体系中，逐渐丧失了“艺”的身份。这固然与围棋本来的竞技成分有关；另一方面，也是文艺乃至整个社会的“世界化”潮流使然。二十世纪全球范围内的世界化，使各区域文明日益被整合为一个有机整体，艺术的“区域性话语”日益被“世界性话语”所取代。而这种“世界性话语”又往往是西方意义上的。正如余虹在《艺术与精神》中所说：

> 二十世纪的“世界化”事实上就是“西化”，二十世纪的世界性要求就是西方现代文明的要求。正是这种要求注定了二十世纪处于同

一世界中的东西方艺术之间不平等的关系，即向西方认同的关系。在此关系中，作为西方现代文明之一部分的西方现代艺术是被这个世界所认可的唯一合法的现代典范和尺度。换句话说，二十世纪艺术的现代性是以西方现代艺术为尺度和参照的，因此，对二十世纪非西方艺术而言，所谓的“世界性要求”不外是西方现代艺术所确立的艺术观念、态度和话语方式。

在这种“世界性”的大潮中，中国传统知识谱系，在“现代化”的过程中，也就日益“西化”了。中国的“文”与“艺”本来都有自己的独特的内涵。受西方艺术分类体系的影响，中国传统的“艺”与“文”也就逐渐被西方意义上的“艺术”与“文学”所取代。围棋这门古老的艺术，也就在现代“艺术”中消失了踪影。

自汉代班固撰《弈旨》以来，中国围棋留下了丰富的美学遗产，且不少都是文人所为，如马融、沈约、皮日休、苏东坡、王世贞、袁枚、李渔等。中国棋论与文论及其他艺术理论在价值取向、话语方式上有惊人的相似之处。可是，在二十世纪艺术“世界化”的大背景下，文论、乐论、书论、画论研究者众，有着丰富的哲学、美学内涵的棋论却基本上被置于学术视野之外。各种在西方知识体系中建构起来的“艺术概论”自然不可能有“棋”的一席之地。令人奇怪的是，专论中国传统艺术的著作也难见“棋”的踪影。倒是在各种《中国体育史》中可以找到“中国围棋”。而像最近新出的四卷本的《中国审美文化史》，囊括了诗歌、散文、戏曲、小说、琴、书、画、舞、工艺、雕塑、园林、服饰、墓葬、民俗、饮食等，单单对“棋艺”一字不提。

与此相应，二十世纪对围棋本身的研究也是更多地集中在作为竞技的围棋中。围棋技术类书籍层出不穷，围棋文化研究则相对薄弱。在围棋史研究中，中国共有四部中国围棋史著作，分别是《围棋史话》（李松福，1990），《中国围棋史》（张如安，1998），《中国围棋史》（蔡中民、赵之云等主编，1999），《中国围棋史话》（朱铭源，1992）。它们清理了中国古代围棋的渊源、流变，但缺少对围棋与中国文化、艺术关系的整体梳理。

另一种研究则是对中国围棋文化遗产的清理。国内出版过不少我国围棋古谱。而《中国围棋》（刘善承主编，1985）和《围棋古谱大全》（盖国梁等编集整理，1994），收集了不少我国围棋古谱、棋论、围棋史料、围棋文学作品等资料。成恩元先生的《敦煌棋经笺证》（1990）和李毓珍先生的《棋经十三篇校注》（1988），则对中国古代的两部围棋理论著作《敦煌棋经》《棋经十三篇》做了细致的校释、考证。胡廷楣先生的《境界——关于围棋文化的思考》（1999），从围棋源头、围棋思维、围棋“语言”、虚实、围棋的境界等方面展开对围棋文化的思考，颇有新意，但不少文章多为访谈性质，其研究有待于更进一步的深入。而对围棋与中国文化、艺术关系的清理，除了一本《围棋文化诗词选》（蔡中民选注，1989），其理论研究则基本上付诸阙如。

日本是围棋的第二故乡。它从中国接受了围棋，又将其发扬光大。金克木先生说：“日本棋士是专业，着重争斗、胜负。中国人下棋多是作为业余，含有表演意味，……日本棋士是战士。中国棋士是艺人。”日本视棋道为艺道、武士道乃至宗教之道，它建立了完备的竞技体制，由此极大地促进了竞技围棋的发展。但有一种说法，当今日本围棋的滑坡又是因为过于追求“艺道”，追求围棋的艺术之美。而韩国围棋称霸世界棋坛，乃是实利主义对理想主义的全面胜利。韩国棋界正集体签名，请求把围棋从文化局划归体育局，据说已正式得到“体育”的接纳。中国围棋曾经在很长时间里把围棋当作游戏、艺术，但也因此限制了竞技围棋的发展。二十世纪，中国围棋终于汇入到“世界性”的大潮中。

二

当某种事物汇入到以现代化为标志的世界性大潮中，固然使它获得了发展的机遇，但同时也可能使它固有的一些东西被遮蔽。中国的文化、文学艺术如此，中国围棋也是这样。

笔者曾在《围棋与中国文化》一书中，从围棋的本质，围棋与东西方文化，围棋的源流，弈具，弈制，围棋与中国哲学、宗教的关系，中外围棋交流等方面，试图在中国文化的视野中对围棋做一次较全面的探讨。在追踪围棋文化的源流时，就想进一步从艺术的角度对中国围棋做些梳理。编选《天圆地方——围棋文化散文选》，权作一种资料的准备。而做《围棋与中国文艺精神》的研究，目的倒不是非要把围棋重新拉回到“琴棋书画”的传统中，而是为了清理一下中国古代围棋及围棋理论所包含的丰富的美学遗产，同时将围棋及棋论放在中国文化及艺术理论的大系统中，看看围棋与中国传统的“艺”与“文”究竟是一种什么样的关系。不敢说因此就能建立一套“中国围棋美学”，只不过想为中国文论、艺论研究提供一个新的参照。当人们致力于建构中国文艺美学时，不妨关注一下那些被遗忘的“艺术”。

本课题算得上是一种比较文学的跨学科研究，当然不是严格意义上的，因为其重心不在文学，而是以中国传统的文、艺及文论、艺论为参照，展开对中国古代围棋及棋论的研究。其重心在探讨围棋作为一种艺术，其意义的生成、建构过程。

“弈”之为“艺”，与其他各种“艺”有共通性，又有其特殊性。它与医、卜等各类“术艺”一样，都是一种“技艺”。与琴、书、画为伍，则更多地带有精神的、审美的因素。但“弈艺”作为一种竞技性的游戏，首先，它是一种行为艺术。下棋的行为、过程，本身就是围棋艺术的一个组成部分，同时它与音乐、舞蹈一样，有时是直接面对观众的，带有表演性。其次，弈地往往构成围棋艺术之“境域”。“松下围棋，松子每随棋子落；柳边垂钓，柳丝常伴钓丝悬。”不同的人对弈地的不同选择，常常折射出各自的审美情趣，也影响到棋局的内容。其三，当对局结束，棋谱被记录下来，便成为一种供人阅读的“文本”。

如果把棋谱当作一种艺术性文本，它与文学文本之间，便有了诸多可比之处。围棋被称为“手谈”，也就是说，这是一种不借助于文字的特殊的言说方式。中国文论有不少“言、象、意、道”之辩，围棋则是直接“以象尽意”。文学文本多是由个人创造的，棋谱则是对局者双方“对话”的结果。对话双方是一种对立、冲突关系，但在共同创造一件完美的“艺术品”时，又需要一种更高意义上的和谐。在棋局的进行过程中，每一着棋都可能有许多种选择，每一种选择都将决定棋局的不同流向。因而，棋谱作为一种“文本”，既是封闭的（就棋局的进程、胜负而言），又是开放的（就棋局背后隐藏的多种可能性而言）、可写的（就阅读者而言）。

研究“弈”何以成为“艺”，弈与中国传统的艺、文之间的关系，便构成了一种跨学科的对话。而对话的前提是对各自知识体系中的概念范畴、话语规则的梳理。由于其研究对象分别是诗、文、书、画和作为四艺之一的围棋，研究对象的差异，便构成了各自的一套概念体系。而它们在中国文化的大背景下，很多概念又是相通的，如道、技、艺、气、韵、形、象、意、阴阳、玄、妙、神、仁义、动静、虚实、奇正、体用等等。但它们在文论、棋论及其他艺论中，其具体内涵又是有差异的。比较研究，首先需要对其概念范畴做一番细致的辨析。正像“气”，气是围棋棋子生存之本，而文学亦强调“文以气为主”，棋论、文论、书论、画论都讲“气韵生动”，其内涵既有联系又有差异。这就需要我们在跨学科研究中寻求话语的沟通时，先做一番细致的辨析。在清理概念和言说方式的基础上研究围棋艺术的意义生成、展开的方式，从而使研究不至停留于表面现象的罗列，而有可能走向深入。

如果说在同一国家或民族中，不同艺术、学科可以共享一套既相联系又相区别的话语，而在它种文化背景下，可能又完全是一套新的话语。正像中国哲学及艺术论，都常有浓厚的体验感悟及诗性表达的特色，西方则偏重逻辑分析与理性表达。人们习惯于把这两种知识形态称之为“感悟型知识形态”和“理念型知识形态”。就是说，中国传统知识更具诗的色彩，西方传统知识更接近于科学。正像亚里士多德，他以“求知”“观察”“追问”“推论”为支点，确立了西方知识话语的科学理性解读模式及以逻辑分析方法为主导的意义生成方式。而中国以道、气韵、风骨、境界论诗文书画，决定了中国的“文”与“艺”有自己独特的质地、品格。中国与西方传统的“文”与“艺”，乃是两个各自独立的系统。美国学派首先倡导的比较文学跨学科研究，其学科分类，其对“文学性”“艺术性”的界定，依据的是西方知识体系。正如有学者指出的：“美国学派的‘平行研究’显然不具有‘对话’的视野，它所确认的学科目标（‘世界文学’）依据西学传统对‘文学’‘文学性’‘诗性’的领会和规定。对美国学派而言，‘比较’并不是一场文化间的对话，而是以西方‘诗学’的眼光对各种文学经验及其理论表述的发掘。……它所确认的‘综合’‘类比’‘跨学科’等研究方法在同一文化圈的比较研究中有极大的用武之地，然而在跨文化研究中，由于相异文化中的文体分类、学科分类极不相同，乃至文学现象呈现出全然不同的边界归属，这些研究方法已很难成为比较文学研究的核心方法。相反，对不同文化中文学经验和文论思想的异质性的考察将成为跨文化比较文学研究的重心。”（曹顺庆等著《比较文学学科理论研究》，巴蜀书社，2001 年，第 301 页）

当美国学派完全承续欧洲文论传统的话语，用模仿、表现、典型、现实主义、浪漫主义、象征主义等来探讨文学，规定文学的特性，而像中国、印度等具有悠久历史文化传统的一些基本的文论概念，比如气、韵、味、境界，都被排除在其视野之外，那么，作为跨学科研究之出发点的“文学”“艺术”，就只能完全是西方意义上的。而跨学科研究的“学科”分类，也是源于西方知识谱系。在这个前提下的跨学科研究也就常常是单向的，不具有对话的意义。正像中国的诗词歌赋、戏曲、话本小说、琴棋书画，由于与西方文学在精神特征上相距甚远，也许在西方人看来，它不过是用于了解东方神秘文化的标本，并不具备跨学科研究中的“文学”“艺术”的意义。

由此，在比较文学的跨学科研究中，引入跨文化的视野，便势所必然。跨学科对话的实现，首先需要在跨文化的背景上，弄清文学、艺术及其他学科在人类文化知识架构中的位置及其演变。显然，“艺”与“文”作为两大系统，只有弄清它们在中西传统知识谱系中的位置及其相互关系，它们与中西文化传统、精神的联系，在这种跨文化的背景上，跨学科研究才能有一个坚实的基点。如果仅以某一知识体系中的“文”与“艺”作为唯一的标准，便有可能导致对另一种文化中的某些“文”与“艺”的遮蔽。作为中国古代四艺之一的“棋”，到二十世纪，已被排除在现代“艺术”之外，这固然与围棋日益走向竞技化有关，但也是因为它与西方艺术体系不合使然。而中国围棋所包含的丰富“艺”与“美”的内涵也就在西方知识的“前见”之下被遮蔽了。

三

寻根，回到事物本身。

要寻求东西方文学、艺术间的沟通、对话，也许首先需要立足于各自的“文学性”“艺术性”，跨文化、跨学科的比较文学研究才有坚实的基点。

曹顺庆先生在《比较文学学科理论研究》中指出：“没有跨文化比较研究的视野，没有返本溯源、回到不同文化中的不同文学样态的‘文学性’这一回到‘事情本身’处的胸襟和气度，我们就不可能‘发现人类共同的诗心’，不可能建立普遍有效的文学理论。”

文学如此，艺术亦然。

建构中国自己的文艺美学，需要“返本溯源”，对我们曾经拥有的文学、艺术遗产做一番清理。围棋，便是属于一种被忽视的“艺术”。

本课题要研究的就是“弈”如何成为“艺”的，不同时代的人如何赋予它不同的意义。因而，“弈”与“艺”便成为本课题研究的两个关键词。

《说文解字》解“弈，围棋也，从廾，亦声”，而“艺者，种也”。“弈”本为游戏，与作为实用技艺的“艺”结缘，乃它们都是一种“技”。而当这种“技”日益增加精神的、审美的因素，也就逐渐接近现代意义上的“艺术”。同时，“弈”往往被认为有着玄妙的意境，包含着宇宙之象、人生之大道。文以载道，棋亦载道，技进乎道。围奁象天，方局法地，一阴一阳之谓道，本为“技艺”的围棋，拥有了“道”的身份，也就有了存在的依据。

中国围棋大致包含“技”“戏”“艺”“道”四个层面。“技”即“技艺”，“戏”即“游戏”，“艺”即“艺术”，“道”即棋道，人生、宇宙之道。而“艺”又是贯穿“技”“戏”“道”的一个核心概念。因而，我们的探索也就从这里开始。

第一章“弈与艺”：考察作为一种竞技性游戏的“弈”在中国古代是如何

被纳入“艺”的体系的，二十世纪弈之为艺又如何退场，重新回归为竞技；“弈”与“艺”在中国古代知识谱系中的类属及其历史流变。包容了各类竞技性游戏的古代“艺术”向现代学科体系中的“艺术”的转换，归根结底，乃是一种艺术话语与知识范式的转型。

第二章“弈与道”：探讨作为“艺”的围棋是怎样被赋予“道”的意义的，弈与天地之象，与儒家、道家之道的关系。技、戏、艺，是弈之存在的方式，而道，则构成了弈之存在意义的最终的依据。弈与天道、地道、人道沟通，从而成就了“弈”之三种境界：天地之境、道德之境、审美之境。

第三章“弈与文”：具体考察围棋与中国文论及诗歌、小说的关系，不同的文学类型，怎么赋予弈以不同的意义。文，介乎道、艺之间，上以通道，下即为技。弈本为技，黑白相间而文成，依乎天理，遂成天地之文。弈与文，也就取得了沟通。而中国传统的诗文、小说等，多有关于围棋的吟咏、描写，在不同的人笔下、不同的文体中，弈也呈现出多种面貌。

第四章“思与言”：理清中国古代棋论的思维与言说方式，分析棋论与中国艺论和文论在思维方式、概念范畴、言说规则、文化精神上的联系与差别。中国古代棋论有着两套话语：道与术。它们分别对应于两种思维：玄象与数理。这背后又隐含着两种文化：精英文化和民间文化、雅文化与俗文化。它们相辅相成，共同建构了弈之丰富复杂的意义。

第五章“游戏精神与艺术精神”：在跨文化、跨学科的背景上，考察游戏与竞技、艺术的关系。游戏精神本质上是一种艺术精神。弈与其他艺术相通，而弈又是一种竞技性游戏，这决定了它之为“艺”的独特性。围棋是一种对话性艺术。弈境与艺境相通，以“气”为本、以“入神”为上品。虚实相生、动静结合、冲突中的和谐，正构成了围棋的艺术境界。

如果说本课题研究基本上属于一种跨学科研究，而取的角度大致是一种知识学的视角。知识学着重探讨在一种知识体系中世界是如何被呈现的，其视野是如何展开的，一种知识体系如何建构、如何分类，其背后有着怎样的一种知识体制。一般思想史着力于对知识和话语所蕴涵的意义与真理性的发掘，福柯的知识考古学则强调“意义括出”或“意义描述”，不去追究话语里深藏着什么意义、其中的对与错，而是去描述这些话语的存在形式，其在某时某地产生意味着什么。“知识型是制约、支配该时代各种话语、各门学科的形成规则，是该时代知识密码的特定‘秩序’‘构型’和‘配置’，是某一特定时期社会群体的一种共同的无意识结构，它决定着该时代提出问题的可能方式和思路，规定着该时代解决问题的可能途径与范畴。”（《福柯》，王治河著，湖南教育出版社，1999 年，第 54 页）

就“弈”与“艺”而言，它们在中国传统知识谱系中处于什么样的位置，其意义的呈现，视野的展开，话语言说与思维的方式等等，便成为我们关注的焦点。本课题研究尽可能取古人眼中的弈与艺的视角，追究弈之何以为“艺”，弈怎么被赋予各种意义，其背后有着怎样的文化机制。围棋既是道，又是术，围棋思维既与中国传统艺术思维相通，又体现了一种逻辑分析思维，既是高雅的艺术，又俗得让人心动。在我们考察中国文化与艺术时，后者往往容易被我们所忽视。

“试观一十九行，胜读二十一史。”（清代尤侗《棋赋》）方圆黑白之间，蕴涵着一个无限丰富的世界。古人对围棋的读解，也许有洞见，有附会，有谬误，但正是在种种的读解中，“弈”的意义也就变得无限的丰富。在围棋日益竞技化的今天，追寻一下弈艺的日渐远去的背影，蓦然回首，也许我们可以有所发现，有所会心。而通过对“弈艺”的考察，也许，我们对中国传统的“文”与“艺”也会有一些新的认识。

原载《湖湘文化与世界文学》丛刊第四辑，湖南文艺出版社，2006 年

行行复行行

——《黑白之旅》后记

《黑白之旅》是我第五本围棋文化方面的书，也是第二本围棋文化随笔。第一本《棋行天下》中有一辑就叫“黑白之旅”，沿着古人留下的黑白的踪迹，且行且止，且观且思，然后就有了许多的感动与感悟。如今，继续这未尽的旅程，《黑白之旅》便仿佛成了《棋行天下》姊妹篇。

这本小书打头的一辑仍然叫“黑白之旅”，不过换了一种行走与观看的方式，即试图借助摄像机镜头，去观照围棋的历史与现状，揭示棋里棋外的多重意蕴。我所在的中南大学电视台曾想制作一个围棋文化电视系列片，以示对我所从事的好玩而崇高的黑白事业的大力支持，后来因为种种原因还是流产了，留下的成果便是这八集电视解说词。这些文字，也就成了几个棋里棋外之人一份“痴心”“痴情”的见证。中南大学新闻中心的胡光华、余文宇、张向真都曾参与策划讨论，中南大学电视台台长李松还亲自执笔写了两集。那些如切如磋的日子也就成了人生中一段难忘的记忆。做围棋文化电视片其实是一个很有意义的事情，以后也不断地有高识之士来找我探讨这一问题。也许什么时候，这一设想便真的变成了现实。

第二辑“围棋地理”是一组专栏文章。2004年，《足球》报改版为《足球·劲体育》，单一的足球专业报纸变脸为综合的体育报，围棋也就在其中有了一席之地。责任编辑方悟龙先生给我打电话，说准备做“围棋地理·发现之旅”系列，每期一个城市，用一个整版的篇幅，对这个城市围棋的历史与现状做全方位的审视，并让我负责撰写“历史篇”。我觉得这份策划别开生面，对传播围棋文化也是善莫大焉，便应承下来。此后，独坐书斋，每个星期神游一个城市，大江南北，域内域外，正所谓上下五千年，行程数万里，棋盘小宇宙，天地大舞台，大半年下来，一张完整的围棋地理图也就成竹于胸了。

第三辑“诗路棋迹”则是另一种意义上的旅行。2005年，应《围棋天地》编辑部之约，让我开个专栏，介绍中国古代围棋诗歌。我将之取名《诗路棋迹》，前有一《小引》：

> 中国是个诗的国度，黄钟大吕，唱大江东去，柔曼琴弦，吟小桥流水。万里江山万里长，五千年的历史沧桑，五千年的人生沉浮，都付与了浅斟低唱。中国围棋亦源远流长，人们既在胜负世界中拼争、嬉戏，又将黑白都化作了歌吟，于是，有了许多的围棋诗。诗中自有棋如玉，歌中自有黑白情。一部诗歌史，同时也就承载了一部独特的围棋史，棋人、棋事、棋情，棋思、棋道、棋美，正所谓风景这边独好。且让我们沿着诗歌之路，去做一次黑白之旅。有兴致的读者，就跟我们一起上路吧！

围棋，从黄尘古道、小桥流水、诗情画意中一路走来，走到了当代，走到街头巷尾，走进了神奇的网络中。《棋行天下》中有一组“网上棋缘”，写网上与棋友结缘的种种趣事。这一回的《灯笼触网记》则细诉的是那些“网文”背后的故事，正所谓多少游戏事，回眸处，一“网”情深。

有人说，文化是一种旅行，人类历史就是一个旅行者的故事，一个奥德赛。“游”有行游，有坐游、卧游、梦游、神游，“游”之中，便包含了人类的一部精神文化史。黑白之道，黑白之旅，大约也是这样吧！从二十世纪八十年代末，在中日围棋擂台赛的热潮中，误入“棋”途，不务正业到如今，做比较文学博士论文，因为与围棋有关，到处被指认为“围棋博士”，乃至结发的文学都要心生妒意了。大约，这就是“黑白”的魅力吧！

因为总是跟在“黑白”的屁股后面到处跑来跑去，有次，中国棋院的华以刚院长见到我便说：“何博士，以后你要做的事情还多呢，看不把你累死。”我笑笑，心里说：“为‘爱’而累而死，乐亦在其中矣，呵呵。”

尝过棋之味的棋友，大概也会会心一笑吧！

行行复行行。写完这篇后记，又得上路了。跟中国围棋代表团一起，去蒙古国，撒播围棋种子。星星之火，可以燎原。有朝一日，在蒙古的广阔大草原上，天苍苍，野茫茫，风吹草低见棋盘。此情此景，想想就够令人神往的了。

原载《黑白之旅》，何云波著，书海出版社，2008 年

误入“棋”途

——《围棋文化演讲录》后记

2001 年，参加中国贵阳首届国际围棋文化节，在“围棋之道 · 名人论坛”上演讲，那时我虽已是教授，但还是青年学者，做的是俄罗斯文学研究，在棋界默默无闻。因为当时担任棋院院长的陈祖德老师的推荐，我第一次参加棋界的活动，就有幸与金庸、陈祖德等同台论道。我们是在上午每人半小时的专题演讲，而下午的“精彩九分钟”所邀请的也都是像聂卫平、华以刚、蔡绪锋、应明皓、段永平、简怀穗、胡廷楣等大腕。“围棋之道 · 名人论坛”安排在省委大礼堂，贵阳电视台全天直播，很是隆重。

第一次在棋界露脸，就如此“闪亮”，当时很有点儿志得意满的感觉。也是在 2001 年，我去四川大学读博，做的博士论文是《围棋与中国文艺精神》。2003年毕业，虽然拿的是比较文学学位，在江湖上却有了一个新的名头——“围棋博士”。

在围棋界，这就算有了身份。顶着“围棋博士”的头衔，在棋界招摇，参加过不少活动，也做过各种与围棋文化有关的演讲，有大学，有中学，有企业，有政府部门，有棋院，有电视台，还有各种论坛。起初经常讲的是类似的题目，如《围棋与中国文化》《围棋与东方智慧》之类，后来，开始有意识地根据不同的地域、听众，讲不同的话题，积累下来，竟也蔚为大观。然后就想着把这些讲座、演讲挑选一部分，根据录音或已有的文字稿，整理出个集子，以便跟更多的对棋文化感兴趣的朋友分享。

整理出来的文字都尽可能保持了原来口语的风格，但也做了润饰。有的内容在不同的演讲中有重复，所以有所删削，但有时为保持一篇演讲稿的完整性，个别地方仍一如其旧。

误入“棋”途，一晃很多年过去了。当年举荐我的陈老已经过世，我也慢慢褪去了当年的青涩与激情，让人感叹的就是时间的力量。

感谢围棋。文学是我的饭碗，围棋对我来说不过是个业余爱好，并没有想从中得到点什么的。不期然间，围棋却让我获得比在文学界大得多的名气，并且颇有点名利双收的意思。我在广州的棋文化论坛上，曾带点儿玩笑似的说：“做围棋文化研究，这么容易出名，因为做的人太少，这于我本人是大幸，但于围棋来说却是不幸。我希望，以后加入这一行当的越来越多，长江后浪推前浪，把我等一掌拍死在沙滩上，这于我个人是不幸，对围棋来说却是大幸。我希望这一天早点到来。”

这颇有点儿大公无私的姿态，其实内心里，还是挺受用围棋带给我的那点儿虚荣。人总是矛盾的，一方面说要让自己速朽，另一方面又总希望给这个世界多留下一点儿痕迹。这不，这两年，忙完国家社科院基金项目《中国围棋思想史》《中国历代棋论选》，又张罗着出版《图说中国围棋史》《围棋与长沙文化》《围棋文化演讲录》，还在筹划一本《围棋文化教程》，作为大学生文化素质教育的教材。这样一来，忙得一塌糊涂。内心里支撑自己如此操劳的理由，一是喜欢，二是想为传播围棋文化做点贡献。

感谢我的妻子袁娜，博士生庄美兰，硕士生彭钦、谢久祎、王智慧、蔡文婷、杨烁帮助整理讲座的录音。感谢湘潭大学出版社章育良社长，我把书稿的设想一说，就马上得到他的首肯和大力支持。感谢责任编辑陈美桥女士，此前她已帮我出版过一本《比较文学：跨文化的文学想象》，那也是研究生比较文学课堂的讲课录音。这次是我们的第二次握手，谢谢她辛劳的付出。湘潭大学是我的母校，在长沙铁道学院、中南大学工作三十年，如今回归母校，这本小书，就权当是给母校的见面礼吧！

原载《围棋文化演讲录》，何云波著，湘潭大学出版社，2014 年

图像中的历史

——《图说中国围棋史》后记

2013 年 10 月，参加中国棋院杭州分院举行的国际棋文化峰会。在小组讨论会上，大家说到围棋史的一个话题，说过去的围棋史依据的更多的是文字的文本，而图像（围棋绘画、工艺、棋具、棋谱、棋势等）往往不被重视。而重写围棋史，就需要既重视文字，又借助于图像，从中去发掘围棋史的许多信息。

有识者把这称为围棋史写作的发展方向：从文字中心向图像中心的转型。会不会产生这种转型，我不知道。我写《中国围棋思想史》的时候，就曾尝试从“图”中去发掘围棋思想的一些内涵。而几年前，武汉的《少儿围棋》约我写过一个围棋故事系列，他们再去找人改编成漫画，后来结集为《黑白英雄会》，出了一本增刊，这算是由“文”到“图”的一次尝试。之后《少儿围棋》又约写一个新的专栏，我说了“图说围棋史”的一些想法，说打算以“图”为核心，去梳理一下中国围棋的历史。他们大感兴趣，于是每期一篇，从围棋源头开始，一路行来，正所谓风景这边独好！

一直以来，我写的围棋方面的著作都比较偏重学术性，如《围棋与中国文化》《弈境——围棋与中国文艺精神》《中国围棋思想史》，我把它们称作我个人的“围棋文化三部曲”。完成这三部曲之后，我很想把重心转到围棋文化的普及上来。因为我发现，可以为少儿读者、广大棋迷甚至社会大众提供的合适的围棋文化读物实在是太少了。正好这“图说围棋”有望弄得雅俗共赏一点。当初为《少儿围棋》写稿的时候，因为面对的主要是少儿读者，想尽量写得生动活泼、通俗易懂一点，但对那些七八岁的学棋的孩子而言，还是深了一点。这也是《图说围棋史》专栏写到清代就打住了的原因。如今结集出版，我想把读者面再扩大一点，既能供孩子们阅读，同时也适合成年读者，所以一方面对文风稍稍做了些调整，保留简明、轻松的风格，但去掉一些“幼”“萌”的表述，另一方面拓展内容，将“史”一直延伸到当代。

因为太忙，需要同时完成围棋、非围棋的好几本书稿，实在无力也无心整理旧稿，便想到刚刚参加完中南大学比较文学硕士生入学考试的杨烁同学。他还是大四的学生，学的是经济专业，却已在《围棋天地》开了专栏《黑白汗青》。我读过他的文章，文笔老到，时有新见，真难以相信出自一个在校大学生之手。这次让他做书稿的修订、补充工作，有的章节是他独立完成的，如第三章“南北对抗”，第十章“当代兴盛”；有的章节是他根据我有关的文稿进行的改写，如第八章“现代转型”，第九章“枰声局影”；其余章节他也做了些串联、修补。因此这本书算是我们师生的共同成果。他研究生尚未入学，就交了一份令人满意的答卷。大约，这就是缘分吧！

前面说到，《图说中国围棋史》是以“图”带“史”，读“图”是重心。但写着写着就有点儿难以为继，不由自主就回到了通常的插图本图书的老路上去，文字成了中心，图成了附庸。因为我们心目中的“史”，是线性的、连贯的，有因有果的，而仅仅说“图”的话，可能仅有“点面”，是断裂的，有缺口的。所以有的历史阶段、事件、人物，虽然没有留下“图”，我们也按照旧有的“史”的思维，做了拾遗补缺，此其一。其二，以作为“图”之一的“棋谱”而论，其实如果能对从古到今的“棋谱”做一番细致的梳理，就是一部非常好的围棋史。像日本安永一先生的《中国的围棋》，陈祖德老师的古谱解说，王汝南老师通过全国个人赛决赛棋谱追踪中国当代围棋的发展进程，走的就是这样的路子。可惜这样的著作还是太少，而它们本身或者太简略，或者系统性有欠缺。我们想有所弥补，一来棋力有限，二来实在没有充裕的时间、精力去做细致的钻研。所以《图说中国围棋史》虽做了种种的努力，却有登山路上半途而废之感。人生总是不完美的，总要留下一些遗憾。不完美、有遗憾才会有继续前行、追求的动力。我们只好这样安慰自己了。

此书的图片除了我自己的积累，还要感谢杨鸿哲先生，他在人大附中上围棋课，收集了与围棋相关的大量图片，本书的一些图片，就得益于他的馈赠。感谢姜连根先生，他主编的《画中棋——图说围棋》为本书利用中国古代围棋绘画资料提供了极大的方便。还有一些图片来自网络，感谢那些不知名的提供图片的朋友们。

特别要感谢书海出版社。2008 年，我们就合作出版了一套“中国围棋文化研究丛书”。而今，他们又为这本小书倾注了很大的热情和心力。围棋文化的研究与普及、推广，需要社会各界的共同努力。谢谢“书海人”对棋文化的这一片热忱！

是为记。

原载《图说中国围棋史》，何云波、杨烁著，书海出版社，2014 年

围棋与大学教育

——《围棋文化教程》绪论

“黑白谁能用入玄，千回生死体方圆。”（唐代张乔《咏棋子赠弈僧》）黑白子的组合，如同象形文字、奇妙的画、隽永的诗，总是能激发人无数的玄思妙想。围棋其实是世界上最简单的一种游戏，黑白子，纵横三五道格子，你就可以玩相互攻杀的游戏了。哪怕后来棋盘道数越来越多，它的规则仍然简单。哪怕你从来没见过、听说过围棋，也不影响你下完一盘棋。然而，围棋又是世界上最复杂的一种游戏，变化没有穷尽。简单中的复杂，这就是围棋，这也是中国文化，如同“道”，“道”乃世界之本源，“道”不可说，“道”就在山间流水、日常生活中。

我们却常常只把围棋简单化为竞技，有关围棋竞技的书籍也很多。不少教科书，或者只教人怎么下棋，或者当想要加入一些文化因素时，无非就是在每一节后面，附点围棋诗词、故事之类，技术与文化常常是脱节的。反过来，一些围棋文化类的书籍，追踪围棋历史、文化，却常常缺乏技术史的梳理。可以设想一下，一部围棋文化史如果没有了棋谱，就像一部文学史没有了文本，这“文化”本身也是空洞的。《围棋文化教程》的编撰初衷就是要将文化与技术高度糅合起来，既满足各大学围棋文化选修课的迫切需要，又为社会大众提供一部理想的围棋文化读本。

当然，实现竞技与文化的高度融合首先要解决的就是全书的体例、架构。本书共分八章，第一章“天圆地方：何谓围棋”是总论，让读者初步认识围棋。

这里涉及棋盘棋子的演变，围棋的基本规则、礼仪，围棋的属性。围棋是竞技，是游戏，也是艺术，大而言之，就是一种文化。而同为盘上棋戏，围棋与中国象棋、国际象棋相比，又有自己的独特性。以其他棋戏为参照，在比较的视野中，也许能对围棋有一些更深入的认识。

对围棋有了一些基本了解之后，下一步就是如何让不懂围棋的人在较短时间里学会下棋，或者初识围棋者进一步提高棋艺。在大学里选修围棋文化课的学生很多都是没有接触过围棋的。围棋课的课时往往又有限，并且大学的教学管理者往往要求围棋文化选修课既要讲技术，又要讲文化，这就需要重新认识围棋之“技”。中国古代一般只把棋局分成起手、残局两个阶段。“起手”式包括布局、定式等，残局则包括了中盘战斗、官子收束等。现代我们经常把围棋之“技”分成布局、定式、死活、手筋、官子等。但为何做这种分类，起于何时，依据何在，我们往往知其然不知其所以然。其实，如果把围棋也看作一个生命体，我们就需要重新认识这一生命系统。为此，我们提炼出围棋的三个核心概念：气、地、形。构成第二、三、四章的主题：“气：棋子的生存之本”“地：围地的艺术”“形：围棋的美学”。

“气”，首先要解决的是棋子的生存问题。从来没有接触过围棋的人，第一次下棋，往往是双方相互缠绕，吃子、逃子，你死我活。这说明，生存是人的本能，战斗是围棋的本质。围棋的一个最基本的规则就是棋以气生，气尽棋亡。吃子、逃子、对杀、死活……这一切，都是围绕“气”来展开。了解了与“气”相关的这些战术，你也就掌握了如何让你的棋子在棋盘上“活着”的基本技能。

“地”，则是要解决如何让棋子活得更好的问题。两眼活棋，活着固然已无忧，但也就是最低条件的温饱而已。要想活得更滋润，就要尽可能扩大自己生存的地盘。如何最大限度地围地，这就涉及棋子的配合、效率，如何布下阵势，抢占要点，如何收束，等等。

“形”，则是有关生存的美学问题。棋子与棋子之间的配合就构成了“形”。而“形”，有好形、愚形、正形、手筋、妙手等。序盘定式、中盘战斗、死活、官子诸环节，都与棋之“形”息息相关。围棋之形，既讲究实用，本质上又是符合美学规律的。

在对围棋之“技”做了一番梳理后，第五章“千年棋脉：中国围棋的源与流”换一个角度，纵向追踪中国围棋的起源、发展的历史。既发掘中国围棋的历史文化底蕴，也欣赏古往今来的精彩的棋局及其技术演进的历程。

第六章“围棋的国际传播”则将焦点集中于中国围棋对外传播的过程。中国围棋一路沿陆上丝绸之路西行，传播到欧洲；一路东行，到朝鲜半岛、日本。日本接受了中国围棋，在某些方面又将围棋发扬光大，在现代，又反哺了中国围棋。围棋也就是在这种不断的交流中获得世界性传播。

围棋既是古老的文化，在二十世纪后半期又跟科技联姻，焕发出新的生命活力。第七章“围棋与现代信息技术”介绍信息时代给围棋带来的影响，计算机围棋的研究方法，其产生、发展的过程。围棋给人工智能研究带来一系列挑战，反过来也促进了人工智能研究的发展。

第八章“围棋与东方智慧”是全书的总结，论棋理、棋风、棋道。围棋是“技”“艺”，通于“理”，进乎“道”。“理”是棋之法则、规律，“道”则构成了围棋存在的终极依据。当然，这道，既是棋道，又是人生之道、宇宙之道。棋如人生，人生如棋，棋里棋外，围棋也就拥有了无限丰富的内涵。

阿根廷作家博尔赫斯写过一首题为《围棋》的诗：

今天，一九七八年九月九日，
我的掌心攥着一颗小小的圆子，
这样的圆子共有三百六十一颗，
是一种东方的弈术所必需，
那如同摆布星宿的游戏叫围棋。
那是一种比最古老的文字还要古老的发明，
棋盘就好像宇宙的图形，
黑白交错的变幻，
足以耗尽千秋生命。

人们可以对之痴迷，
就好像坠入爱河与欢情。
今天，一九七八年九月九日，
我本来就对好多事物无知无识，
这会儿再次感到困惑，
我要感谢诸路神祇，
他们让我得见这处迷宫，
尽管我永远都不能探知其中的奥秘。

——林之木译

中国的长城、书籍、易经、八卦、铜境、花园……都曾让博尔赫斯浮想联翩。而在博尔赫斯的中国想象中，围棋也是其中一个重要组成部分。围棋被看作一种比文字更古老的游戏，它像一个诱人的“迷宫”，吸引我们漫游其间，寻寻觅觅，具有无限的奥妙与魅力。

既然如此，那就让我们上路，开始这奇妙的围棋文化之旅吧！

原载《围棋文化教程》，何云波主编，北京大学出版社，2015 年

围棋之“毒”

——《中国围棋思想史》后记

2003 年，写完博士论文《围棋与中国文艺精神》，有一种纵情宣泄的快感，寻思着，意尽于此，再难超越，以后就做点围棋文化普及方面的事好了。后来张罗过一套“中国围棋文化研究丛书”，我自己有两本，一本是《黑白之旅》，是围棋报刊上专栏文章的汇集，一本《围棋与东方管理智慧》，是与正大集团副董事长蔡绪锋先生的访谈、对话。此外，在杭州帮中国棋院杭州分院弄了个围棋博物馆。十年，在黑白之道上忙碌，能留下点痕迹的，也就这两件事了。

十年，日子一天天地流过，心里却慢慢滋生出一个念头：再写一本《中国围棋思想史》吧，完成围棋文化研究的三部曲（第一部即 2001 年出的《围棋与中国文化》），今生便算圆满。这心思跟相熟的记者聊过，他们一宣扬：“何云波欲撰写中国围棋思想史，填补思想史研究空白！”哇，这么吓人的宏愿，看来不做都不行了。

可是，人生要做的事情太多，这吹了出去的泡泡却变成了压在心上的一块石头。得，还是报一个项目吧！把自己逼上梁山。

可是，学界也如江湖。我之前做过的两个国家社科基金项目，一个《陀思妥耶夫斯基及其小说的文化阐析》，一个《跨文化视野中的文学跨学科研究》，分别属于俄罗斯文学和比较文学，但毕竟都在“外国语言文学”那个行当。这次却要去“体育门”里弄一块地盘，人家肯吗？

所幸“体育门”的各位长老都极开明，竟然聚议会商通过了外来小子的不情之请。以前做围棋文化研究，纯属业余爱好。这次，围棋破天荒第一次被纳入国家研究规划，就像从此入了名门正派，底气、胆气一下子壮了许多。

中国围棋，在竞技上这几年成绩大好，大有一统江湖之势。但围棋文化研究却基本上是散兵游勇，各自为战。而学术界，也常常只把棋当玩物，不入学术正统。古人尚把“棋”列入琴、棋、书、画的“四艺”之一，今人却不再以棋为“艺术”。各种“美学史”“审美文化史”“美学史资料汇编”等等，囊括诗歌、散文、戏曲、小说、琴、书、画、舞、工艺、雕塑、服饰、印章、篆刻乃至花草、园林、民俗、饮食……却常常对“棋艺”一字不提。而各种“体育思想史”，包括了中国古代的各种竞技、武术、养生、行气、导引等，但也基本没有“棋”的位置。这真是舅舅不疼，姥姥不爱，浪迹江湖，无门可依！

导致这种结果，当然可能有知识体制、观念上的原因，就像撰《中国书法思想史》的姜澄清先生，曾在其后记中感叹：

> 说来可叹，由中国人编纂，供中国大学生学习的《文艺学概论》《艺术概论》之类教科书，对书法竟尔不提；这也难怪，建国之初，各门类的艺术家协会成立了，唯独书法阙如。最地道的民族艺术，却最彻底地被本民族遗忘，这真是大怪事，大悲哀！

曾经，“书”与“棋”同病相怜。这也难怪，二十世纪初，西学东渐，由那番邦之洋学一统江湖，“书宗”与“棋宗”在焕然一新的气象里同时失去了自己的位置。

好在“书宗”在上世纪八十年代，终于有了自己的“协会”“地盘”“掌门”，逐渐火了起来。而围棋呢，其实更早，在上个世纪六十年代“协会”就成立了。只是那时，中国围棋功力太弱，赶紧练招，寄希望于与“东瀛门”一较高下才是最重要的。后来，眼看大功即将告成，又来一更生猛蛮悍的“韩国流”，中华棋界应顾无暇，自无心于费时费力的所谓“文化”之类的内家修为。

现在好了，“中华门”即将完成一统江湖之大业，行有余力做点看似“无用”

之事了。据说“中国围棋协会”拟在技术委员会、裁判委员会之外，新设一文化委员会。尽管这动议很长时间是光打雷不下雨，说说而已。但有想法、说法，就已经很让人期待、鼓舞了。

当然，我等做围棋思想史研究更多是凭兴趣，另外还靠一种发自内心的紧迫感。围棋文化研究，需要做、可以做的事情太多。中国围棋所包含的思想的、文化的资源，需要有人去发掘；中国围棋的所走过的历程，它的历史与现状，需要有人去关注。这不，一边做着中国围棋思想史研究，想着完成“三部曲”就大慰平生，可作林泉之想了，一边脑子里却已在牵挂另一件事情，理一理“二十世纪中国围棋史”。二十世纪过去十多年了，各门各派早已把自己的“宗谱”做过许多次的梳理，唯独棋界最淡定，至今无人过问。唉，你闹腾得再起劲，动静再大，总得有人去记录、总结啊！眼看着民国一代的棋手已基本烟消云散，五六十年代成长起来的，像陈祖德、吴淞笙，曾经的掌门、二当家的，也开始撒手人间了，这抢救历史、抢救记忆的事情，可比发掘已经封存的历史更为紧迫啊！

甚至一度想暂时放下《中国围棋思想史》，先去做《二十世纪中国围棋史》。有时也自嘲：“你就是江湖一散仙，操那么多空闲心干吗呢？”

也许，这就是爱吧，一种宿命。

有时候，喜欢上一个人、一样东西，就像中毒、上瘾，从此不思自拔，忧之如焚，甘之如饴，这真是没有办法的事情。

原载《中国围棋思想史》，何云波著，湖南省哲学社会科学文库，湖南人民出版社，2016 年

第四辑

悟道黑白

围棋的文化解读

围棋是什么？这么粗浅的一个问题，一提出来，恐怕得难倒一大批下了一辈子棋的人（无论职业还是业余）。这就像一个人，活了大半辈子，有一天突然问自己：我是谁？我活着的目的是什么？本来活得挺好、挺滋润的，这么一问可就惨了。为了求得个答案，每天冥思苦想、上下求索、寝食难安，结果越想越糊涂，精神上再难有安息之处。世界上，最简单的东西往往就是最复杂的，信然。

记得大学里上美学课。老师第一堂课讲美是什么？谈到古希腊哲学家苏格拉底与诡辩家希庇阿斯的辩驳，两人费了许多神思和口舌，苏格拉底最终得出结论：美是难的。本文探讨围棋的本质这一话题，如果最终的结论（假设有的话）也是苏格拉底式的答案，那“罪”不在我，而在围棋这只“木野狐”过于难缠也！

一

围棋产生以来，关于围棋本质与功用人们有许多种说法，这从围棋的起源的推断和关于围棋的各种别称中就明显表现出来。这里先不说远了，单看时下，在人们心目中，围棋首先是一种竞技，一项体育运动。人们把棋类项目划归国家体育总局，而非文化局，便是明证。

体育者，身体的养育也，以此推之，智育即是养智，德育即是养德，美育即美的熏陶。关于体育的功用，我们流行的一个口号就是：发展体育运动，增强人民体质。

如果把体育仅仅理解为养育身体，那么围棋更接近于一种智育活动。许多家长送孩子去学棋，首先也是基于围棋可以益智，可以使人的心智得到全面发展的目的。也许这更符合古典的体育精神。德国浪漫主义诗人席勒在《美育书简》中竭力推崇古希腊人游戏精神的理想：自由、和谐、全面发展的人格。古希腊奥林匹克运动弘扬的就是这种游戏精神的理想："如果你想强壮，跑步吧！如果你想健美，跑步吧！如果你想聪明，跑步吧！"体育运动首先满足的是人自身的需要：强壮、健美、聪明。一句话，追求人的完美。

顾拜旦在创建现代奥林匹克运动时，也是以弘扬古希腊的体育精神作为宗旨的。在现代奥林匹克的发展过程中，人们追求"更高、更快、更强"，通过对超出自己身体极限的潜力的发掘，追求征服、压倒他人。职业体育，沦为一种纯粹的竞技活动。

中国围棋同样经历了这样一个发展过程。围棋曾是琴棋书画四艺之一，古人首先是把围棋当作一门艺术，但古人在把围棋艺术化、雅化的同时，又在一定程度上抑制了围棋作为一种竞技的发展。现代围棋，已经建立了完备的竞赛体制，使之堂而皇之地成为一种体育竞技，人们可以名正言顺地赌取输赢了。

围棋与体育的结缘，并不主要在于"增强人民体质"，而在于作为竞技，其本质都是竞争与征服。有人认为围棋源于人类为争夺生存空间而发生的战争。不少人以兵法解围棋，汉代马融《围棋赋》曰"略观围棋兮，法于用兵，三尺之局兮，为战斗场"，即为一例。

围棋之"战"，从个人角度说，是人证明自我的一种方式，也是人的攻击性冲动的一种变相的满足。尼采的"权力意志"论，认为在人的生命意志中，占主导地位的就是想凌驾于他人之上的欲望。在个人与他人的关系中，每个人都可以认为"我是最出色的"。那么，证明这一点的最好的办法就是生存的竞争或体育中的竞技。而弗洛伊德的心理学强调，攻击即人性。人有两种本能：生的本能和死的本能。生的本能体现为生命的欲望与创造，死的本能则表现为一种趋死情结，人的攻击性、破坏欲、虐待欲。人类历史上连绵不绝的战争，人们一方面为自己所在的群体（部落、国家、民族）的生存，为主义、信仰而战，另一方面，在崇高的旗帜下又隐含着人性的攻击性、破坏性冲动。而体育竞技，便是战争的游戏化，它为人类的攻击性欲望提供了一个合理的发泄渠道，足球、拳击、棋类，莫不如此。

自然，围棋、足球、拳击等同为战争游戏，其满足人的攻击性欲望的方式是不一样的。拳击是赤裸裸通过对他人身体的击打来显示自己的强壮；足球是在激烈的冲撞、精妙的射门中体现力量之美、冲突之美。围棋，在优雅的外表下，暗含的是一种东方式的暴虐。争斗、欺诈、损人利己、锱铢必较、巧取强夺、你死我活……这些在现实生活中被视为异端邪恶的一切却一幕幕再现于棋盘之上，且名正言顺，不必心存负罪之念。如果把棋盘上攻城略地、大砍大杀，看作是现实生活中谦谦君子、窈窕淑女的心理补偿的话，女棋手比男棋手更好杀也就容易理解了。因为在现实生活中，淑女比男士“野性勃发”的机会毕竟更少一些。

如果说，作为一种争胜负之物的围棋与人性中潜在的攻击性欲望有关，那么无论业余还是职业棋手，在这一点上是共同的。而另一方面，对业余棋手而言，下棋更多的是属于游戏，而对职业棋手而言，棋则成了一种谋生手段，同时还事关国家、民族的荣誉。当今世界的体育竞技往往成了民族间的一种对抗的方式，一场模拟的战争。中华民族曾被视为东亚病夫，长期的积弱挨打导致了中国民众的一种强烈的民族主义情绪。体育竞技则成了为国争光、为民争气的一种方式。围棋亦然。棋手在某种意义上都是“赌徒”，聂卫平与曹熏铉争夺第一届“应氏杯”冠军，前面下成二比二，最后五番棋成了一局定胜负，决定冠军四十万美金和亚军十万美金的归属。业余棋手下棋来点“彩”之类，比较起来，便不值一提了。聂老在《我的围棋之路》中自称天生是个“赌徒”，对凡是能分出胜负的东西都感兴趣，反之则全无兴趣。而当他肩负国家、民族的重任，在擂台上连战连捷，他又成了民族英雄。于是，“赌徒”之“赌”也就有了崇高的注脚。

二

围棋不仅是一种竞技、一项体育运动，同时还是一种话语活动。古人称围棋为“手谈”，强调的正是这一点。竞技的本质在于冲突与征服，话语的本质则是沟通与交流。

称围棋为“手谈”始于晋代。《世说新语·巧艺篇》云“支公以围棋为手谈”。支公者，东晋一高僧也，名遁，字道林。据称少时聪颖好佛，二十五岁出家，善结交名流，清谈玄义，别出心裁，称围棋为“手谈”，乃以“手谈”代“清谈”也。

魏晋以来，社会纷乱，知识分子随着对社会政治的失望，转而崇尚清谈，以老、庄、易等思想为主要内容的玄学成为主要的谈资。而包含着玄妙境界的围棋在玄言清谈家眼中自然也有了特别的意义。纹枰对坐，以手代口，无声之中自有拈花微笑之妙。

如果说严格意义上的对话是由语言文字来完成的，其本质在于信息的传递与交流。而围棋的“手谈”强调了围棋乃是一种特殊形式的“对话”，一种无声的交流。棋手在交战前往往要发表一些感想，这是直接的对话。一旦坐到纹枰前，每一着棋都是向对手发出的无声的“话语”。正像当年吴清源与秀哉名人决战，三三·星起手，第五手更是石破天惊一般打在天元上，这几手棋本身就是向传统和代表传统的权威发出的无声的挑战。

二十世纪俄国著名学者、对话理论的开创者巴赫金认为，纯粹的对话关系乃是“同意和反对的关系，肯定和补充的关系、问和答的关系”。棋局的进程，就是棋手之间不断地同意或反对、问和答的过程。棋局的每一着，都是向对手发出的问话，另一方在考虑应手时，得先读懂对方的话语，然后做出回应。同时，你下任何一手，都需要考虑到对手有可能采取的种种手段，如果只是一厢情愿，构思出所谓的“理想图”，便不是对话，而是独白了。

棋局的每一手都常常包含着丰富的信息。当然，并不是一切都能说得明白的，围棋的玄妙，正在于有时是只可意会而不可言传的。人类时时面临着一种困境：一方面要用语言为万物命名，言说存在，使世界由混沌之初的朦胧走向逻辑的明晰；另一方面，这个世界又总有一些东西处在语言意识之外。不少西方哲人便时时陷于思、言、意的困惑之中，在将语言当作“存在的家”的同时，又痛感话语无法传递本质，表现总伴随着扭曲。相对而言，中国人在处理言与意的关系上则灵活得多。禅宗独辟一条拈花示众、不立文字、教外别传之路，但对于什么是佛，什么是禅这样的问题又不得不说，于是生出许多公案，让人去体悟。道家的“道”也是不可言说的，“道可道，非常道，名可名，非常名”，大象无形，大道希声，通过静观而悟道，得道而忘言。围棋，也是介于“说”与“不说”之间，它既是一种潜对话，但里面有许多东西，又无法用言语来表达。作为“对话”双方，都只能用心去体会对手每一着棋所发出的无声的信息，会心处，悠然一笑，“此中有真意，欲辨已忘言”。

“手谈”，体现了围棋作为一种文化所包含的基本精神：对话性。巴赫金认为，当对话出现在人与人的意识中就构成了一种对话性，这是“在各种价值相等、意义平等的意识之间相互作用的特殊形式”。

中国体育界曾流行一个口号：友谊第一、比赛第二，恰恰是把体育的沟通、交流功能放在了竞技之上。二十世纪五十年代以来，由于意识形态的原因，中国在很长一段时间被摈弃于国际社会之外，体育便成了与各国沟通、交流的重要桥梁。乒乓外交与围棋外交，在中美、中日关系的正常化过程中发挥过重要作用。

不过，既然是对话，便涉及一个话语权的问题。中国体育，只有在乒乓球之类优势项目上可以理直气壮地谈“友谊第一”，不然，就容易被看作是掩饰自己弱势的托词了。中国围棋，上个世纪五十年代以来，一直在争取的就是有跟日本平等对话的权力。从友谊赛到对抗赛正是这种努力的结果。因为“对话”得以成立，需要有几个前提条件：其一，对话者双方地位是平等的；其二，双方拥有共通性话语。就下棋而言，即都要懂棋，需要遵守一套共同的游戏规则，并且棋力相近，若棋力差距太大，则是传道、授业、解惑，无所谓真正意义上的“手谈”了。

对话性决定了围棋是讲求平等竞争的一种智力游戏，在某种意义上体现了一种现代精神，它恰恰与封建时代统治者强调尊卑等级的礼法制度相悖。汉元帝时曾任黄门令的史游，在其所著《急就篇》中有“棋局博戏相易轻”之说。

颜师古注曰："凡人相与为棋博之戏者，因有争心，则言语轻侮，失于敬礼故曰相易轻也。"易使人生简慢、相轻之心的围棋，被一些儒家正统卫道士视之为"不仁""失礼"。一些棋手因行棋不恭、轻慢尊者而招羞辱乃至杀身之祸，这种情况在中国古代屡见不鲜，真正平等意义上的"手谈""对话"自然也就无从说起了。

对话，也使围棋具有一种宽容性。无论中国象棋还是国际象棋，都是直线攻杀型的，以吃子、最终困死敌方的首领为目的，颇有些赶尽杀绝的意味。围棋自然也是为争夺生存空间而发生的战争，但在"围地"的过程中，并不是要你死我活，不给对方留一点"余地"。所以围棋中常有"两分""双方均无不满"之说。所谓两眼即活，一盘棋终，常常呈现你中有我、我中有你，和平共处的态势。和而不同，正是中国文化精神的体现，也是现代社会在人与人、民族与民族的相处中需要提倡的。这就像现代企业的竞争，并不追求非要击垮对手，而是在平等竞争中大家都得一点，当然，多得者为胜。

由此便涉及围棋的本质了：对立还是和谐。"手谈"，正体现了中国传统的辩证法：冲突中的和谐。对话乃是一种心与心的交流，真正的对手既是敌人，又是契友。真正的棋局，也是双方在不断的冲突中最终走向和谐。吴清源先生认为，围棋的最高境界就是和谐。当年范西屏与施定庵在当湖（浙江平湖）争霸，双方各展平生绝学，殚精竭虑，难分高下。清末棋艺家邓元鏸在《范施十局·序》中评曰："西屏奇妙高远，如神龙变化，莫测首尾；定庵邃密精严，如老骥驰骋，不失步骤。""定庵如大海巨浸，含蓄深厚；西屏如崇山峻岭，抱负高奇。"

大海高山，惊涛拍岸，卷起无数美丽的浪花，该是一种多么令人神往的境界。想《神雕侠侣》中剑魔独孤求败："纵横江湖三十余载，杀尽仇寇，败尽英雄，无可奈何，唯隐居深谷，以雕为友，呜呼，生平求一敌手而不可得，诚寂寥难堪也。"最后只得埋剑于"剑冢"，令长剑空利，不亦悲乎！《雪山飞狐》中的胡一刀与苗人凤，本为"仇家"，却惺惺相惜，真大侠也。古今棋史上，范西屏有施定庵，吴清源有木谷实，李昌镐有马晓春，他们应该是幸福的。当今棋界马李争霸，从民族荣誉和个人利益考虑，自然会使人有"既生瑜何生亮"

之恨，但从更高意义上，又是围棋史和他们本人的幸事。马晓春曾就第二届“春兰杯”上战胜李昌镐一局做自战解说，题目即为《无声的交流》（《围棋天地》2000 年第 2 期），有一段话颇有意味：

> 然而，与李九段对局的过程，常常都是愉快的。由于对手极强，彼此全神贯注，双方着法紧凑，在高明与失误交替出现时，各自心领神会，时而为自己得意，时而为对手哀叹。这样无声的交流，这样愉快的感觉，并不是与每一位棋手对弈时都能够产生的。

正所谓此地无声胜有声。有了这份心息相通的愉悦，棋的胜负应该不再是第一位的了。如果李昌镐或马晓春没有了这样的对话者，该是多么的“寂寥难堪”也！

三

中国古代，还有多种关于围棋的别称，如坐隐、忘忧、烂柯等，它昭示了围棋的另一面：棋，成为人精神存在的一种方式。

“坐隐”之说，源于东晋王坦之。《世说新语》云：“王中郎以围棋为坐隐，支公以围棋为手谈。”王坦之因官居北中郎将，世称王中郎。他对围棋情有独钟。据《世说新语》载，他在守丧时，有客来访，竟置礼教于不顾，而与客对弈。这一方面表现出魏晋士人的名士风范，另一方面也显示了其对围棋的痴迷程度。

“忘忧”之说出自东晋的另一名流祖纳。祖纳之弟即是历史上有名的闻鸡起舞、击楫中流的壮士祖逖。祖逖素有大志，无奈时运不济，在北伐中因孤立无援而失败。祖纳对弟弟的失败十分痛心，终日弈棋。朋友王隐劝他珍惜光阴，祖纳答曰：“聊用忘忧耳。”王隐进一步劝曰：“故君子疾没世而无闻。《易》称自强不息，况国史明乎得失之迹，何必博弈而后忘忧哉！”纳喟然叹曰：“非不悦子之道，力不足也。”

称围棋为“烂柯”，则出自中国人家喻户晓的王质观棋烂柯的传说。这传说首见于南朝梁代任昉的《述异记》：

信安郡石室山，晋时樵者王质，伐木入山，见二童子下棋，与质一物，如枣核，食之不觉饥，以所持斧置坐而观，局未终，童子指谓之曰："汝斧烂柯矣！"质归故里，已及百岁，无复当时之人。

与此相近，东晋陶渊明在《搜神后记》中也记载过一个"嵩高山大穴"的故事，云西晋初有人误堕嵩高山大穴，见穴中草屋，有二仙人对坐围棋，仙人请他饮玉浆、食石髓，又指引他出穴之路。

有意思的是关于围棋的这些别称都出自魏晋时期，这就不是偶然的巧合了。魏晋之时，社会动荡，文人士子都有朝不保夕之感，由此唤起了生命意识的觉醒。"生年不满百，常怀千岁忧。昼短苦夜长，何不秉烛游？为乐当及时，何能待来兹？"于是，"戏"与"艺"便成了他们日常生活的重要内容。

中国传统文人都面临着"仕"与"隐"之间的两难选择。"车千乘，马千匹，强弩千张，统百万雄师指麾如意；酒一斗，茶一瓯，围棋一局，约二三知己畅叙幽情。"北戴河沈园的这一楹联典型地体现了中国传统文人士子的生存状态。大丈夫一方面当自强不息，以求立言立德立功；另一方面，社会的混乱，又常常使他们空有抱负不得施展，只好退隐山林，寄情于山水泉石、诗酒琴棋，作精神的逍遥之游。当然，更多的是介于两者之间，亦仕亦隐。围棋，则正好切合了士大夫的精神需求。

中国古代，不少僧道中人、隐士皆好棋，如白居易的《池上》：

山僧对棋坐，局上竹阴清。
映竹无人见，时闻下子声。

这首诗生动地再现了一幅竹林围棋、幽静闲雅、禅意盎然的画面。但对更多的人来说，当他们无法归隐山林，而只能在熙熙攘攘的尘世间往来周旋时，带给人精神快乐的围棋使他们得以暂时忘却尘俗的烦忧，作“仙界一日”之游。围棋，使人即使身居庙堂之上，也能超然物外、以达物我两忘之境，所谓“忘忧清乐在枰棋”。

一卷书，一杯酒，一盏茶，一枰棋，成了文人士子生存方式的一种标志。

正因为围棋有如此的魅力，中国人对神仙世界的想象中自然把围棋当成了“仙家养性乐道之具”。古人曾把围棋称作“橘中之乐”。唐代牛僧可所著《幽怪录》中记载：

> 巴邛人家橘园，有大橘如三斗盎，剖开有二叟对弈。一叟曰：“橘中之乐，不减商山。恨不能深根固蒂，为愚人摘下耳！”

《梨轩漫衍》中说：“围棋初非人间之事，其始出于巴邛之橘，周穆王之墓，继出于石室又见于商山，仙家养性乐道之具也。”

正所谓“此曲只应天上有”，围棋在给人提供充分的精神愉悦的过程中，也就超越了凡俗的现实关系，营造出别一洞天，于是有了“烂柯”之类的传说。人一方面要依托于现实，另一方面又受到现实关系的种种束缚与桎梏，有着种种的痛苦和烦恼。围棋作为精神的游戏的艺术便为人提供了一个由凡俗走向人生的自由之境的途径。黑白世界是一个虚拟的世界，又是一个可以供你自由挥洒的世界。在这里，你可以体验到如神仙一般的快乐。

人类时时面临着有限与无限、短暂与永恒的种种矛盾和困惑。中国人传统的实用理性主义精神，重功利、重实际，则使其一般不肯以完全摒弃现世的享受来换取另一世界的救赎。中国文化所构建的神仙世界常常是现实世界的一种自然延续。道教以生为乐，以长寿为大乐，以长生不死为人生极乐。人之修炼的最终目的，便是得“道”成为长生不死之仙人。仙人在洞天福地过着快活的生活，喝酒下棋吟诗弹琴，与人不同的只是：他们可以不事劳作，且永远不死、永远享乐。这便构成了中国人的神话想象，正如明代顾禄《题王叔明所画〈松下弈棋图〉》所言：

> 两翁对弈盘礴坐其上，笑语自若终日无愁颜。饥来岂待事烟火，瑶草紫芝俱可餐。安得翁能事神异？授以九转入炉丹。图中之景果然真有否？便欲御风一去何须还。

元代的刘因也有一首《清平乐·围棋》：

> 棋声清美，盘礴青松底。门外行人遥指示，好个烂柯仙子。输赢都付欣然，兴阑依旧高眠。山鸟山花相伴，翁心不在棋边。

大约，这便是人们常说的如神仙一般的日子了，人与仙，正是在这一刻取得了沟通。可惜的是，这一切不可能永远拥有。快乐的时光永远是短暂的如孟郊在《烂柯石》中所写：

> 仙界一日内，人间千载穷。
> 双棋未遍局，万物皆为空。
> 樵客返归路，斧柯烂从风。
> 唯余石桥在，独自凌丹虹。

青山依旧，人事已非，宇宙永恒，人生短暂，这构成了人生的一份永远的“痛”。但是，人类又永远在有限中渴望着无限与永恒。尽管王质的“奇遇”不过是《桃花源记》一般的乌托邦想象，其结果，也会像渔人想再寻入洞之路时，“遂迷不复得路”。但烂柯围棋的魅力也正在于此，它让后人永远虽不能至，而心向往之。

四

围棋从本质上说，是一种游戏。

在中国人眼里，这样说可能有点贬低了围棋。游戏者，玩物也，玩物丧志，还是少沾一点好。实在心痒难熬，欲罢不能时，便先为其涂金：修身、养性、怡情、教化，以“玩”得名正言顺。围棋由此成了一种高雅的文化，阳春白雪，君子之所为也。

以儒家思想为主流的中国传统社会，曾竭力要把围棋纳入其“伦理教化”的体系中。朱熹《四书集注》注释孔子“游于艺”云：“游者，玩物适情之谓。艺，则礼乐之文、射御书数之法，皆至理所寓，而日用之不可阙者也。朝夕游焉，以博其义理之趣，则应务有余，而心亦无所放矣。”

儒家把“游艺”当作成德成仁的工具。反过来，儒家对围棋的贬抑，也正在于有时围棋与仁义之道是相违背的。儒家文化一向具有浓厚的现实功利性。“格物、致知、正心、诚意、修身、齐家、治国、平天下”，构成了儒士的内圣外王之道。大丈夫系天下忧乐于一身，当“勉精励操，晨兴夜寐”，以求立言立德立功。而围棋作为“玩物”，“玩人丧德，玩物丧事”“其迷惑人不亚酒色”，自然受到贬抑。而围棋作为“害、诈、争、伪”之物，与儒家的“仁、义、礼、智、信”也是相冲突的。当围棋这只“木野狐”越来越显示出它的挡不住的魅力，儒家正统无法禁止它，苦口婆心劝说也无济于事（如三国吴太子孙和命韦曜作《博弈论》），于是就采取“招安”的策略，竭力突出围棋的“正面意义”。正如宋代宋白作《弈棋·序》云：“弈之事，下无益于学植，上无补于化源；然观其指归，可以喻大也，故圣人存之。”如何“喻大”？可从中“见兴亡之基，知成败之数”也。

魏晋时代，却有不少士人反其道而行之。在一片放浪形骸的社会风气下，他们厌倦了儒家的纲常名教，游乐意识觉醒，重新确立了“游戏”的价值，把一切足以引起人的精神愉悦的活动都称为“戏”。在这“戏”中尽情地作仙界之游。带给人无限快乐的围棋，也就超越了功利，回归到它的本来面目：游戏。

魏晋士人的游乐意识恰恰代表了生命意识的觉醒。人的一生的活动，大致可分为两大部分：劳作与游戏。劳作是为了谋生，游戏是精神愉悦的需要。过去中国人见面，常有一句问候语：“吃了吗？”在大多数人都吃不饱的时代，吃是最重要的，有得吃心里便踏实，没得吃心里便发虚，因而，“吃了吗”本身，便代表了问话者对对方生存的一种关怀。吃过了之后，为了节省能量，最好的办法就是坐着躺着，尽可能少运动。如果这个人吃过之后，还要去蹦蹦跳跳，去做种种耗费体力脑力又“无益”的事情，在吃不饱者的眼里，那一定是“吃饱了撑的”！

游戏，便是属于吃饱了之后的文化。一个人只有在基本的生存需要得到满足之后，才会产生游戏的需要。一个社会对待游戏的不同态度也就往往代表了这个社会的发展程度。十八世纪德国诗人席勒在《美育书简》中认为：人生最高、最完美的境界就是游戏。在他看来：“只有当人充分是人的时候，他才游戏；只有当人游戏的时候，他才是完整的人。”游戏的本质有三：其一，无直接的功利目的；其二，全身心投入；其三，自得其乐且其乐无穷。当一个人游戏的时候，他便进入了一个完全的自由的境界。

围棋，便是属于这样一种能带给人精神的自由、快乐的游戏。从功利的角度说，它可能“无益”，所谓“胜敌无封地之赏，获地无兼土之实”，可仍旧让人迷而不悟，以至“虽有大牢之馔，韶夏之乐，不暇存也”（韦曜《博弈论》），这就是棋的魅力。清茶一杯，以棋为伴，忘忧清乐，消此永昼，不亦快哉！

当然，当现代社会一部分人把“游戏”之物当作了谋生手段时，它们便演变成了一种职业，就像足球、围棋，也就有了业余与职业之别。现代社会是个功利主义的社会，当职业棋手为了个人生计、为了国家民族的荣誉，在残酷的胜负世界里拼争时，他们也就日益远离了那种游戏的感觉。其实，这种游戏感觉的丧失，从父母望子成龙心切地送他们进各种训练班时就开始了。

于是，功利与游戏便构成了围棋的一对矛盾。对职业棋手而言，围棋当然首先是功利性的。但一旦把某个东西当作了“饭碗”，乐趣便会大减。就像读书，人们总习惯于把读书跟“苦”字联系在一起。读书苦，苦读书，读苦书，头悬梁，锥刺股，面壁十年，寒窗苦读……当人们纯粹为功利的目的而读书，读书便成了吃药，明知道药是苦的，因为有用，只好皱着眉头囫囵吞下，享受自然是谈不上了。特别是当知识更迭，书中不再有“黄金屋”“颜如玉”，人们弃学问而远之也就自然而然的了。其二，下棋的目的性太强，责任太重，也往往容易使棋手失去一颗“平常心”，水平发挥大打折扣，所谓“争棋无名局”即是。正像常昊，作为一名极具使命感、责任心的棋手，把胜负看得太重，反而影响了他在国际大赛中的正常发挥，这成了常昊超越自我的一道坎。

哲学家金岳霖在西南联大教书时曾有学生问他：“老师，逻辑学这门学问这么枯燥，你为什么要研究呢？”金回答：“我觉得它很好玩。”这回答真是既率真又有趣。其实，早在 1927 年，金先生便表露过他研究哲学的动机：

> 坦白地说，哲学对我们是一种游戏……我们不加考虑成功与失败，因为我们并不把结果看成是成功的一半。正是在这里，游戏是生活中最严肃的活动之一。其他活动常常有其他打算。政治是人们追求权力的领域，财政和工业是人们追求财富的领域。爱国主义有时是经济的问题，慈善事业是某些人成名的唯一途径。科学和艺术、文学和哲学可能有混杂的背后的动机。但是一个人在肮脏的小阁楼做游戏，这十足地表达了一颗被抛入生活之流的心灵。

当金先生在哲学王国里自由嬉戏，既不把哲学看作是为某种政治利益服务的工具，也不把它当作谋取个人私利的手段，在那个纷乱的时代，肮脏的小阁楼便为他提供了“诗意地栖息”的精神空间。游戏，也便成了学问的一种难得的境界。

游戏是非功利的、自由的、快乐的，在游戏中，你自可体验到一种自由挥洒、创造的乐趣。学问如此，棋亦然。

由此，当棋手在残酷的胜负世界里拼杀时，有时是否也可以把功利的东西看得稍淡一点儿呢？真正的读书人应该是把读书本身便看作是一种生命的需要，不以为苦，反以为至乐；同样，当围棋不再仅仅是一种工具，而成了精神的一种需要，人们沉迷其中，乐而忘返，甚至已不顾及它能带来多少现实的利益，才能成就真正的棋迷；对职业者而言，这才是真正的为棋而生的棋手。

五

围棋还是一门艺术。

魏晋士人不仅把围棋看作“戏”，同时还把它纳入到“艺”的范畴。《世说新语》将围棋列为“巧艺”，沈约《棋品·序》称围棋乃是“体希微之趣，含奇正之情；静则合道，动必合变。若夫入神造极之灵，经武纬文之德，故可与和乐等妙，上艺齐工；……是以汉魏名贤，高品间出。晋宋盛士，逸思争流。虽复理生于数，研求之所不能涉；义出乎几，爻象未之或尽”。围棋，成了一种游戏的艺术。

古人把琴棋书画并称四艺。而艺术，从本质上说，都是人的一种精神的游戏。人在满足了基本的物质需求之后，便会生出种种精神的需要，于是有了艺术。艺术是非功利的，以自由、快乐、和谐与美为指归。

围棋作为一种竞技，一种战争游戏，当然它首先追求的是胜负。但它作为一门艺术，又常常是符合美的规律的。首先，从形式上说，棋盘棋子，一方一圆，“围奁象天，方局法地”，天地方圆之间，便有一种对立中的和谐之美。而棋子，一黑一白，在棋的进行过程中，相互拥抱，本身便犹如一幅极美的图画。中国的书法、绘画，都是白纸黑墨，黑白两色，乃是对大千世界的丰富色彩的浓缩、抽象。中国绘画从写实的角度说，可能不如讲究色彩的配置的西方油画那样逼真，从欣赏效果说，也不如浓墨重彩的油画那样富于视觉的冲击力。但它在简单、抽象中自有让人品之不尽的韵味。围棋亦然，它同样体现了中国艺术的审美精神。

在棋局的进行过程中，黑白棋子都在按照棋的固有的规律，在自然的流程中行进着。每走一步，棋手都面临一个怎样才能走出好形，同时破坏对方的棋型的问题。如果说跳、飞、虎、扳头、连压、拔花等是让人看着就舒服的“美”的型，同样有些“型”则可能是不美的。大竹英雄列举了六种不“美”的型：笨拙的尖、愚型三角、团形子、分裂型、后推车、二子头被扳。

美的型被称为好型，不美的型则被称作愚型、恶型、坏型。“美丑”与“好坏”

本是两对并不一样的范畴，但围棋把两者完美地结合起来了。正像艺术是一种“有意味的形式”，是内容与形式的完美统一，围棋的“美的型”也是与合理、有用联系在一起的。看起来潇洒漂亮的“型”，如果有漏洞或不能发挥大的功能，那就只是徒有其表了。正如大竹英雄所说：

> 能力强的人下的棋，棋型上没有什么废着；而能力弱的人下的棋，有很多的废着。这一点明显地显示在棋盘上。
>
> 对没有废着的棋型，人们才感觉到美感。
>
> 没有废着的棋型，功能多的棋型是漂亮的。
>
> 人们经常说“美不在外表，而在于内心世界”等等。毫无疑问，不仅人，就是围棋也一样。真正的美是从棋型当中迸发出来的。

所以，有时愚型中也有筋，俗手中也有妙手。围棋与其他艺术门类的最大区别在于它是争胜负的，围棋的美，永远是与实用联系在一起的。

但如果棋手把胜负当作了唯一的追求，那就把围棋狭隘化了。不少棋手认为，胜负与艺术是矛盾的，鱼与熊掌不可兼得，在现在这个过于功利主义的社会里，只好舍鱼（艺术）而就熊掌了。其实，真正的大家是可以两者兼得的。因为围棋是一种胜负的艺术。

藤泽秀行先生曾谈到他对“名局”的一种理解：

> 我认为名局的第一个条件是，每一着都走在它所面临的局面的好点上。好点就是最高着的意思。……好点接着好点，构成一个进程，就像名画鉴赏，使鉴赏者为之感动，这就是名局的条件。
>
> 现代棋手中，能时不时走出像名画那样的棋来的大概应数武宫君吧。他让我们看到品位高、有味道、我们全然不觉的高着。如果把棋比作绘画，在过去五百年里，没有一个人能像武宫君那样让我们欣赏到绘画。

棋如流水，能够着着走在好点上，行于当行，止于当止，大约这就是武宫所追求的“自然流”吧。能够这样自然而然地“流”到终点，当然就是完美的胜利了。如果是因为对手走了臭棋、错着才赢了棋，从结果来看，与其他的赢棋是一样的，但从过程看，这种赢棋又会让人生出种种的遗憾。特别是对看重围棋的艺术性的人，不仅赢了不愉快，还会因为对手的失着而沮丧。因为棋局是两个人共同创作的作品，它需要两个人的精心雕琢，如果中途突然有一个人出现了败笔，这件艺术品便有了污点。特别是当时过境迁，对当事人来说“功利攸关”的胜负已成过眼云烟，后人欣赏起这件“艺术品”，遗憾该是多么大。

川端康成的小说《名人》以纪实的手法描写秀哉名人的引退棋。当小说中的挑战者大竹（原型为木谷实）七段有次在走到第一百二十一手封棋时，走了类似打将的一手，让人误认为他是在利用其后三天的休息时间考虑棋局：

> 名人一直把这盘棋当作艺术品来精雕细刻。倘使把这盘棋比作绘画，那么他就是在兴致盎然、灵感涌现的时候突然地在画面上涂抹了一层黑墨。围棋也是在一连串相间下子的过程中包含了创作的意图和结构，如同音乐，反映了心潮起伏和旋律。音乐若是忽然跳出一个古怪的音阶，或二重奏的对手突然伴奏出离奇的曲调，这就是一种破坏。围棋有时因为对方错看或漏看，也是会损害一盘名棋的。总之，大家对大竹七段的黑 121 感到意外、震惊、奇怪和怀疑；它破坏了这盘棋的节奏和韵律，这是无可争辩的。

这手棋尽管后来被认为是时机恰到好处的一手，名人自己也认可了这一点。但在当时，却使名人产生误解，在内心波涛如怒的情况下，后来走出了一百三十年被认为全局败着的一手。

可见，围棋这种两个人共同创造的艺术品，多么需要双方的理解沟通、心有灵犀，小心呵护。而围棋作为一种胜负的艺术，常常是悲剧性的。

其实，任何胜负之争，现实生活中的也罢，游戏也罢，都带有悲剧性。战争是以无数人的鲜血来装点英雄的花冠，围棋棋盘上，常常展开的是你死我活的较量，弥漫着火烧连营的滚滚硝烟。既然是“战争”，便注定会有失败者，哪怕是常胜将军，也总有被人打倒的一天。而在残酷的胜负世界里，美总是脆弱的。正如杨晖七段所说：

当我在棋盘上下出一步妙棋，心情畅快无比。而且，我也会为棋陶醉，如同陶醉在音乐之中一样，这时，我会被棋所迷住。其实，这种陶醉和沉迷，对一个职业棋手是致命的。因为这时，胜负已经不能再刺激他了，他已经忘记了比赛的残酷的一面

你一个人在那里跳舞，轻歌曼舞。你陶醉在那样美妙的艺术氛围中，怎么能有效地挡住“提着刀冲过来”的对手呢？

围棋的悲剧性还体现在每位棋手也许都在追求完美的胜利。但是，人总是有局限的，这注定了每个人在下棋时总是要犯或大或小的错误。有时，你一直走得很好，心理上觉得特满足。临近终局，却因为一个简单的错误，一切努力都付诸东流。藤泽先生在“应氏杯”与聂卫平的半决赛上，第一局形势一直不错。就在胜利在望时，在一处小官子上损了一目。懊丧之余，又把一手该先手走定的棋给忘了。一共损两目，结果以半目之差告负。输棋的那天晚上，从青年时代就喜欢诗，此时已六十三岁高龄的藤泽先生，心中又涌起了滚滚的诗情：

败而不悔，只恨自己气力不济。

错而不悔，只因自己功亏一篑。

棋手终身徘徊在茫茫无涯的旷野。

曾经辉煌的棋手也只是开在旷野的一朵小花。

在自由的天地、方寸大的棋盘上驰骋，多么快乐，又有诗情，又有画意。

无涯的自由天地，伤痕累累的经历，忍耐，战斗，弱者死去。

不知有自由天地者多么可悲。

多么想更多地看见美丽如画、雄浑如书的棋啊！

接着还要和聂君比赛，要走出好棋来！

棋，要一直走下去，

今世唯愿看到棋手的个性如五彩缤纷的花、画、书一样。

读着这首从老人心灵深处“流”出的诗，我明白了，什么是胜负，什么是艺术。在棋盘的自由天地里上充分地挥洒你的个性、才情，在伤痕累累中忍耐，在茫茫无涯的旷野中寂寞而执着地寻寻觅觅，可能你收获的仍然是失败，但此时，孤独、残缺、失败，都成了一种美。

艺术之美，是自由的、快乐的，也是感伤的、悲壮的，如花、如大海上的落日。

六

“总有一天，人们会为围棋只用来竞赛而感到可惜。”胡廷楣先生在《境界——关于围棋文化的思考》的后记《围棋的东方美》中如是说。

围棋是体育活动、是竞技甚至赌具，围棋是一种话语方式，是游戏，是艺术，是人生之道，或者，大而言之，就是一种文化。不同的人从围棋中读出了不同的东西，正如蔡中民在《围棋文化诗词选》中所言：

围棋无疑是一种奇特的事物，它以其丰富的魅力和无穷的象征力吸收了各色各样的崇拜者。赌徒从中看到的是滚滚财富，才子从中看到的是倜傥风流，险诈者从中看到的是腹剑心兵，忘机者从中看到的是逸情雅趣，至于文学家却能从中看到人，哲学家能从中看到世界的本源，礼佛者从中看到了禅，参道者看到的却是道……三百枯棋，一方木枰，竟能如此丰富地反映出一个民族的精神文化世界的缩影，实在令人惊叹。

在中国古代，“文”代表精神修养、美德善行；“化”即万物之生存、变易、造化也，所谓“男女媾精，万物化生”（《易》），“赞天地之化育”（《礼记》）。“文”“化”合用，即指以文教化。《易·贲卦》曰：“观乎天文，以察时变；观乎人文，以化成天下。”人文教化，构成了传统意义上的文化的本质。

围棋从它产生的那一天起，就开始担负起教化的功能。在围棋的起源的传说中，从“尧造围棋，丹朱善之”（战国《世本》）到“尧造围棋，以教子丹朱”（晋·张华《博物志》）的变化，就不难看出对围棋的教化功能的强调。中国古代把围棋列为“六艺”的教育内容之一，以围棋培养品格、规范礼仪、训练思维、修身养性。

当然，教化是外在的，带有一定的强制性，“陶冶”则更偏重人的内心自觉，激发人的主动参与意识。琴棋书画，成为人的养性之物。“琴令人寂，棋令人闲”（明代陈继儒《岩栖幽事》）。唐代诗人李洞有一首《锦江陪兵部郑侍郎话诗着棋》：

落叶溅吟身，会棋云外人。
海枯搜不尽，天定着长新。
月上分棋遍，钟残布子匀。
忘餐两绝境，取意铸陶钧。

前六句分写话诗与着棋，最后两句总括：无论诗与围棋，圣人可以之制驭天下，俗人可以之陶冶情操，得意之处，令人忘食也。

围棋作为一种文化还有宣泄、调适、娱乐的功能。围棋是游戏，游戏的本质就是快乐。围棋又是关于战争的游戏，是对人或物之间的生存竞争的模拟，是人性中许多被压抑的隐秘的心理动机的一种宣泄。有论者曾探讨过为何“纹枰女子好搏杀”，认为与青春期少女灵魂深处隐藏的“残忍之魔”有关。女子在月经来潮前后，往往会有一种紧张、惊悸的情绪，在不知所措、难以排遣时，就会滋生一种精神副产品，这是一种毒素、一种痛苦、一个症结。而此时，学棋的女孩子又正好开始步入职业围棋的门槛。在双重压力之下，“残忍之魔”在寻找着出口。于是，她们会在棋盘上不由自主地下出“狠”着，挑起纷争，在乱战、杀棋中获得快感，生理与心理的“毒素”也在不知不觉中得到了排放。而“毒素”的分泌、积聚、排放、再分泌是“周期”性的，天长日久之下变成了一种惯性，于是，女子好战也就成了一种接近于宿命的“定式”。

这篇文章开始触及到围棋与人的生理、心理、天性的关系，对女性棋手好战的解释也颇能给人启发。但它没有解释青春期的男孩因蓬勃的性欲不能获得适当排泄，也有“残忍之魔”，为何男性棋手并不普遍好战呢？如果说人性中都有一种“攻击性”，一种残忍的东西，正像陀思妥耶夫斯基在《死屋手记》中所说：“刽子手的特性存在于现代人的胚胎之中。”而女性在生活中获得“攻击性”的满足的机会更少一些，于是，她们只好在棋盘上“为所欲为”了。有的人说，现代人因为有了足球才使战争少了许多，同样，小小棋盘，起着一种宣泄、调适的功能，大家在棋盘上想干的坏事都干过了，想使的阴谋诡计都使过了，心灵也就得到了净化。“机谋时未有，多向弈棋销。”（唐代张乔《赠棋僧侣》）有的人说，下棋的人中少坏人，信然。棋手在竞技中为国争光，在某种意义上，便是人性欲望冲动的一种升华。

围棋作为一种艺术，还有审美的功能。竞技的本质是冲突，审美追求的则是和谐。古希腊哲学家毕达哥拉斯认为“美是数的和谐”，和谐包含着秩序、匀称、各因素之间的协调。围棋也面临着地与势、先与后、攻与守、得与失、弃与取、局部与整体的种种矛盾，它需要解决的就是如何达到各种矛盾间的均衡、调和。动中之静，对立中的统一，这是棋艺的境界，也是艺术的境界。

围棋又是一种宇宙之象、人生之道。吴清源先生曾推断围棋起初乃是古人用来占卜、祭祀的一种工具。联想到围棋与易的密切关系，这推断又有一定的道理。《易经》本是一本卜筮之书，通过“阴爻”和“阳爻”的不同组合推演世界万物的运动变化，人事的祸福吉凶。所谓太极生两仪、两仪生四象、四象生八卦……而围棋盘的天元即被当作太极，黑白子即为两仪，“棋法阴阳，道为经纬。清者在天（白子），浊者在地（黑子）”“围奁象天，方局法地”，黑白子中即包含着阴阳乾坤的无穷变化。而棋子的运行，“按五行而布局，循八卦以分门”（施定庵《弈理指归·序》），这其中虽无不附会之处，却正体现了围棋作为胜负之道之外的文化意味。

从形式上说，围棋与其他棋相比，是最简单的。象棋是对战争的直接模拟，楚河汉界，两军对垒，每一个子的身份、地位、子力、走法都是固定了的。而围棋，却只有黑白子，纵横十九路，形式要素被简化到了极致，包含的变化却没有穷尽，这正所谓最简单、朴素的就是最丰富、复杂的。中国诗歌讲究言有尽而意无穷，意在言外，羚羊挂角，无迹可求；中国绘画在白绢黑墨的“简单”图式中，却蕴含着比西方浓墨重彩的油画更丰富的意味；中国哲学的“道”的最高境界不是“有”，而是“无”。“天下万物皆生于有，有生于无”（《老子》），“无”并非空无，而是事物存在的一种方式。围棋与中国艺术精神的相通，与中国古典哲学的“气”与“道”、“无”与“一”的暗合，正体现了围棋与古老的中华文明的渊源关系。

天圆地方。吴清源先生认为，二十一世纪的围棋将是六合之棋，即天地东南西北之调和。围棋的最高境界不是冲突，而是和谐。吴先生在这里谈的既是棋，也是一种文化，中国文化追求的境界恰恰就是和谐。当吴先生从单纯的胜负中超越了出来，他便进入了一个自由的境界。

一阴一阳之谓道。天地阴阳，相生相合，相互感应，相互激荡，宇宙万物由此化生。而黑白子的阴阳交抱，似也在昭示着混沌初开之意境。对一些人来说，围棋仅仅是一种争胜负之物，对另一些人来说，黑白天地又常常成了他们对“道”的体悟。玄之又玄，众妙之门，这是道，也是棋。

原载《围棋周报》2001.5.29—7.31，分 7 次载完

围棋与中西文化

如果说围棋是中国文化的象征，犹如气功，犹如阴阳八卦，而认识自我又往往需要以另一种文化为参照，所谓“不识庐山真面目，只缘身在此山中”。由此，以中西文化为坐标，来看一看围棋，也许可以给我们一些新的启示。

一、围棋与足球

从比较文化的角度来说，围棋与足球，代表了中西文化的不同形态，一如茶与咖啡、丁香与玫瑰。茶的清淡回味与咖啡的刺激浓烈，丁香的淡雅与玫瑰的浓艳，围棋的静与足球的动，这其中便已包含了不同文化的内涵。

西方人表达爱情时，往往喜用艳丽的玫瑰，情感直接、热烈，毫不掩饰。中国的诗人却惯于在丁香花下，在绵绵细雨中吟唱：“青鸟不传云外信，丁香空结雨中愁。”中国式的含蓄、感伤，同样是一种美。但这种美，如同青橄榄，是需要你独自静静地品味的。西方诗人怀抱红红的玫瑰，宜于以咖啡提神壮胆，中国诗人就一支淡淡的丁香，合共清茶一盏。咖啡之味在浓烈刺激，茶之味在清在淡乃至若有若无。由品茶，我们似乎也感到了一些与围棋相近的东西。有人说，足球代表西方，围棋代表东方。一为动，一为静，一为冲突，一为和谐。

东方文明被称为“静的文明”，东方体育（养生、气功、瑜伽、武术、武道、围棋等）也往往具有“静”的特点，有人称之为一种“内向型体育文化模式”。

郝勤在《东方体育内向文化特征与价值》（《体育文史》1992 年第 3 期）一文中将东方体育概括为四大特征：整、圆、静、和。“整”即指整体、模糊、观悟。西方体育形态将对象客体化、离析化，东方体育则追求人与外在客观世界的天人合一，自我形体与精神的形神合一；“圆”指在时空形态上的无限轮回、流转、复返、回还，“反者道之动”（老子），阴阳相互依存、对立、转化。西方体育的时空形态则呈现为在开放中的无限延伸、扩张，永无止境、永不停滞、永不重合，无限探究与夺取，正如奥林匹克精神所追求的更高、更快、更强；“静”即指在修炼上强调冥想、入静、坐忘、滤神，内向文化必然呈现为一种“静”文化；“和”即指东方体育以“中和”为内在价值取向，这不仅体现在养生、气功、瑜伽这种以自我身心调适为指归的运动中，也体现在中国武术、日本武道、棋类等本属竞争与对抗的活动中，这与习惯于竞争取胜的西方价值观形成鲜明对照。

足球与围棋，正典型地体现了这种文化的差异。从本源上说，无论足球还是围棋，都是人的一种战争游戏。但是，足球与围棋同是作为战争游戏，它们的游戏规则却有很大差异。足球是完全建立在力量之上的一种竞技：快速的奔跑，激烈的冲撞，巧妙的切入，千钧一发、气贯长虹的射门，这其中男性的雄健与力量表现得淋漓尽致。同时也显示了足球的一种境界：力量之美、冲突之美。它也典型地代表了西方文化的精神：刚健、进取、冲突、冒险，对力量与野性之美的崇尚及其建立在力量之上的人的智慧的充分发挥。

在围棋的断杀中，则更多地带有中国乃至东方文化的优雅、阴柔的色彩。吴清源先生认为，围棋的最高境界不是冲突，而是在如行云流水，行于当行、止于当止的自然流程中达到理想的和谐之境。围棋是一种静中寓动的艺术，道法自然，以柔克刚，将刀光剑影蕴含于无声的“手谈”之中。它更多地体现了中国乃至东方文化的虚静之美、阴柔之美、和谐之美。

于是，源于“战争”的围棋，在中国又成了一种艺术。琴棋书画，梅兰竹菊，谦谦君子之风，淡淡幽和之气，士大夫得其风流，市井辈沾其雅气。弈棋台上，松风流水之中，鸟语呢喃之时，花气氤氲之下，弈棋者气定神闲，入圣超凡，万古长风，一朝风月，得瞬间永恒之境界。

一手拈菊，一手持刀，高雅与粗俗、柔静与暴虐集于一身的围棋，成了中国人两重文化心理结构的象征。美国的人类学家鲁思·本尼迪克特曾写过一本书，以“菊与刀”形象地概括日本民族的文化心理构成。其实，它也概括了围棋。中国人创造了围棋，日本人把它发扬光大。我们从那三百六十一个点浓缩成的大千世界中，似乎看到了一种文化心理的积淀。

二、静的艺术

五四运动以来，不少学者对东西方文化做过比较。陈独秀在《东西民族根本思想之差异》中对东洋和西洋民族做了这样的概括：

> 西洋民族以战争为本位，东洋民族以安息为本位。
>
> 西洋民族以个人为本位，东洋民族以家族为本位。
>
> 西洋民族以法治为本位，以实利为本位；东洋民族以感情为本位，以虚文为本位。

杜亚泉将东西方文化概括为“静的文明”和“动的文明”。林语堂在《论中西文化》中指出：“东方主静，西方主动；东方主守，西方主取；东方重安身立命之道，西方重格物致知之理；东方重直觉，西方重逻辑。”

这是学者的理论概括。其实，在不同民族的游戏中，就往往打上了各自文化的烙印，比如中国象棋与国际象棋。一般认为，中国象棋与国际象棋都起源于印度的一种棋戏：恰图兰卡。恰图兰卡原意为四种东西，即步兵、骑士、象、战车四种棋子。而中国古代并无大象，所有不可能产生以“象”命名的棋种。另一种观念则认为，中国远古时代其实盛产大象，河南古称“豫州”，其意就是“大象生活的地方”。并且，象棋之“象”并不就是大象之“象”，而是易学中的“卦象”之象。中国象棋和国际象棋都是源于中国古代的兵种棋戏。

无论象棋起源于哪里，有意思的是，有着共同渊源的中国象棋和国际象棋，在流传过程中，因为其不同的文化背景，也就具有了不同的文化内涵。国际象棋以“王”为主，王直接指挥军队，参与战斗；中国象棋的“王”则困居于九宫之内，与外界隔绝，名为运筹帷幄，决胜千里，实则懦弱无能，被动挨打。

国际象棋的“后”纵横驰骋，威风八面，杀伤力极强；中国象棋的“仕”身为仕女，只能每天围在皇帝周围，并且皇帝走的路还不许走，而只能走“斜”道，中西妇女的地位由此可见一斑。中国皇帝要借重“象”（相，谋臣宰相）为之出谋划策，借助“马”（骑兵）冲锋陷阵，但又担心大权旁落，所以要有塞象眼、蹩马脚的制约；国际象棋的“象”乃是战象，并无不能越界之类的规矩，并且王车可易位，体现了一种民主意识。中国象棋的“兵”每次只能走一格，过了河才可横行，一直到底都不得提拔，仍旧是兵，这正所谓“民可使由之，不可使知之”（孔子），“将军之事，静以幽，正以治，能愚士兵之耳目，使之无知”（《孙子·九地篇》）。国际象棋的“兵”第一步可走两格，到底线后可升为后、车、马、象中的任何一种，更体现了一种自由竞争意识，一种通过不懈努力确立自我价值的进取精神。

如果说中国象棋与国际象棋在演变过程中分别体现了各自的民族文化精神。而就围棋与中国象棋相比，同是中华民族智慧的结晶，围棋似更具中国乃至东方文化的神韵。

东方文明是一种“静”的文明，围棋则是一种“静”的艺术。

鲁迅先生曾说：“我看中国书时，总觉得自己就沉静下来，与实人生分开。”而从心理学角度说，“静”不只代表一种心理状态，同时意味着人的各种本能和情感冲动的内抑制与理性的自觉。中国哲学主要是建立在内省的“静”的基础上的。孔孟思想建立在人与人的行为准则与社会的规范的基础上，强调“中庸”“仁和”“忠恕”，以“和谐”“静”的理想社会为归依。老庄崇尚清静、无为、心斋、坐忘，“夫物芸芸，各复归其根，归根回静，静曰复命”“不欲以静，天下将自正”。

梁漱溟将人类的创造归为两大方向：一则向外，一则向内。向外，即从内涵自觉的人心向外发挥行动，意识作用于物，求得知识，实现科学的发达与人对自然之物的控制利用，这体现了西方文艺复兴以来的文化精神。而内向者，则典型体现在东方哲学特别是“释”“道”哲学中，由向内而形成以“静”为主的人生追求倾向与社会理想，寻求静的秩序与氛围，从静中见出智慧与本质，在静中领悟宇宙自然的勃勃生机，享受一种准宗教式的“静福”。

中国艺术也是一种表现“静”的艺术。“人闲桂花落，夜静春山空，月出惊山鸟，时鸣春涧中”（王维《鸟鸣涧》）；“空山不见人，但闻人语响。返影入深林，复照青苔上”（王维《鹿柴》），这使我们想起白居易的咏棋诗《池上》：

山僧对棋坐，局上竹阴清；
映竹无人见，时闻下子声。

想起欧阳修的《新开棋轩呈元珍表臣》：

竹树日已滋，轩窗渐幽兴。
人闲与世远，鸟语知境静。
春光霭欲布，山色寒尚映。
独收万虑心，于此一枰竞。

足球在激烈的冲撞，巧妙的传球、过人，力贯千钧的射门中体现了一种力量之美，动态之美。围棋却将一切的攻击、冲突、争战内蕴于无声的手谈中，将人的本能、欲望消解于寂静的落子声中，你死我活的争斗披上了优雅的外衣。棋手纹枰对坐，面对即将到来的激烈厮杀，首先需要的却是“入静”。古印度《弥勒奥义书》将“制气、敛识、静虑、凝神、观照、入定”归为“瑜伽六支”，“明者苦摄敛意识，由外返内，气息均调，物念皆寂，则当定于无想。”下棋者亦然，若能无想无念、心内澄明，方能进入最佳境界。禅宗谓“平常心是道”，日本的“武道”讲究禅与武的结合，“心剑合一”，同样，围棋也需要棋手排除任何内外干扰，于静定之中，“心棋合一”，这样也就在方寸棋盘中进入了一个自由之境。人们称韩国棋手李昌镐为“石佛”，在技艺差距微乎其微的情况下，李昌镐的胜出，在很大程度上得力于这种心如止水的“静定”功夫。

中国古代的棋手都好战，但在价值判断上，又始终把“不战而屈人之兵”列为上上之策。以“入神”“坐照”为上品，而将“斗力”列为下品。特别是对文人来说，“莫将世事扰真情，且可随缘道我赢。战罢两奁分黑白，一枰何处有亏成”（王安石《棋》），在胜固欣然败亦喜中，体验到一种内外俱“寂”的境界。中国的雅人们以棋为“坐隐”，一卷诗，一杯酒，一盏茶，一局棋，“夜阑风静縠纹平，小舟从此逝，江海寄余生”（苏轼），正是在对围棋之“静”的欣赏、把玩中，获得了精神的皈依。

动与静构成了围棋的一对矛盾，对局是棋子不断运动变化的一个过程，“争”无处不在，但最终达到的是“冲突中的和谐”。而从下棋者的角度说，下棋乃是让“各种本能和情感冲动”获得释放的一个过程，但驾驭棋局之人却需要“心静”，以静制动，动被寓于静之中，欲望被控制于理性的自觉中。“静”与“和”也就成了围棋的一种境界。围棋正是在“静”与“动”，“争”与“和”的对立、依存、转换中，体现出一种东方的艺术之美。

三、虚实相生

围棋同时也讲究虚实相生。未落子时，棋盘为虚，棋子为实，“且道黑白未分时，一着落在什么处”。棋盘作为世界、宇宙的象征，未有子时，处在虚空状态，如同世界产生之前的混沌。对局开始，黑白子阴阳交合，如同太极生两仪，“无”中生“有”。这时，棋子所占之处为“实”，棋盘空白处为“虚”，围棋的争斗，就是围绕“虚”“空”展开的，被圈定的地域就成了“实空”，一方得地时，另一方可能又取得了对“虚空”的更大的控制权，这就是“势”。所以，“势”与“地”有时便对应于“虚”与“实”。正如东汉黄宪《机论》中所说：“弈之机，虚实是已。实而张之以虚，故能完其势；虚而击之以实，故能制其形，是机也。”

围棋是以“空”来计算胜负的，“子空皆地”，因而“虚”的空间在围棋中占有重要的意义。象棋的争斗也在空间中展开，子力的大小、强弱，就是以它对空间的控制力为衡量标准的，因而每个子都力求占据最有利的空间，以取得局面的优势。但象棋并不以占空为最终目的，而是通过制“空”而擒王。因而，相对来说，围棋比象棋更重视“虚”的一面。象棋的虚是争取胜利的手段，围棋的虚则既是手段，又是目的。

虚实相生，虚可以化为实，实又有赖于虚而生存（围棋棋子以气为生存手段，气者，空也，虚也）。有“虚”，棋子才能气韵生动。这是围棋，这也是东方的艺术，东方人的哲学。

西方哲学、诗学重视有、存在，往往以求真为目的。其理论是建立在人与自然的分离的基础上，人与自然的关系完全是一种认识论的关系。古希腊人热衷于探讨“是什么”，“是”是存在、有，而“什么”则是对事物的认知。认识世界，就是认识“有”。古希腊哲学家对世界的本源做过各种探索，将之归结为水、气、数、火等，由此建构了一个实体的世界。在有和无、实体与虚空的关系中，实体是第一性的、根本性的。

如果说哲学追求的是可知世界的理念，文艺则是对可见世界的现象的模仿。西方艺术往往以求真为其美学原则，尽量遵循“真实显现生活”的法则。西方传统戏剧多强调写实，无论是用可见的动作来表现生活，还是舞台背景、道具的设置，都尽可能追求逼真感。西方古典油画在透视、构图、光线、色彩各方面都以“真”为最高原则。达·芬奇为了忠实地表达自然，曾深入研究过解剖学、光学、力学、植物学，还长期观察动物的生活，为了研究人体的构造，还不顾教会禁令，亲自解剖过人体。

如果说西方哲学、艺术是建立在“有”的基础上，中国哲学则以“无”为最高境界。道生万物，万物皆备于道。但道的存在方式又不是有，而是无。“天下万物皆生于有，有生于无。”（《老子》）无成了世界的本源，正如中国现代美学家宗白华所说：

> 中国人感到这宇宙的深处是无形无色的虚空，而这虚空却是万物的源泉，万物的根本，生生不已的创造力。老庄名之为“道”、为“自然”、为“虚无”，儒家名之为“无”。万象皆从空虚中来，向空虚

中去。

但“无”并非空无，而是事物存在的一种方式。正如北京大学汤一介先生在一篇文章中所说：

> 在中国哲学中，有一个重要概念叫“无”，“无”这个概念非常深刻地体现了“非事非虚”的观念。“无”并不是“不存在”的意思，而是指“无规定性”的“存在”。照中国哲学看，从音乐的音调说，如果是“宫”就不能同时是“商”，但无声却可以作成“宫”，又可以作成“商”，它可以成就一切音；就事物形状说，如果是“方”就不能同时又是“圆”，但“无形”却可以作成“方”，又可以作成“圆”，它可以成就一切形。所以“无”可以成就一切“有”。“无”是个“虚”的（非实），因为它无规定性；但“无”又是“实”的（非虚），它可以成就一切“有”。

于是，中国传统哲学、艺术中出现了虚实、神形等范畴。虚者万物之始，虚实相生，大象无形，虚处藏神，以形写神，超以象外，得其环中等等，构成了中国艺术的基本精神。中国戏曲的舞台时空、道具都是虚拟化的。一切都是通过演员的表演展现出来，观众则通过演员的形体动作感知其对象的存在，正像两个轿夫抬着轿子上坡、下坡、跳沟、过滩和急转等，都是通过演员的虚拟表演传达出来。因心造境，虚实相生，正构成了中国戏曲的独特魅力。

中国画讲究“留白”，而妙味常常就蕴藏在这“空白”处。齐白石画虾，灵动的虾为“实”，水则为“虚”，不画水而自能让人感到水的流动。中国书法讲究“虚处藏神”“笔断意连”。中国的诗歌追求意在言外，不着一字，尽得风流。中国音乐善于运用无声之韵，有无结合。有时，恰恰是“此时无声胜有声”。

围棋，作为琴棋书画“四艺”之一，可以说同样暗合中国艺术之秘。围棋的难处不在“实”，而在“虚”，定式，手筋，都是容易学会的，但虚的地方，却不易把握，所谓高者在腹，因为腹是最“空”的地方。对虚的地方的感觉，需要长期的熏陶，也需要一种悟性。“传神”常常是中国艺术追求的境界，古人也以“入神”为棋的最高品。“圣人不可知之之为神”，一般的棋手，只能在“实”处努力，能出神入化，当然是高品了。

四、围棋的思维

不过，“虚”与“神”常常只能凭人的感觉，只可意会，不可言传。于是，围棋又具有了中国乃至东方文化精神的第三个特点：综合性、模糊性与直觉、体悟。

美国的杜威·科内尔博士与理查德得德·默斯尔博士写过一本书《战略思维与东方的围棋》（《围棋天地》，1995 年第 12 期），书中对国际象棋与围棋做了这样的比较：

> 许多西方人认为国际象棋是一种需要清晰的逻辑、战术和战略策划的理想的棋类。在几乎所有商业领域，从合同的协商、销售会议到政策制定，甚至在董事会议、商场、法庭上都会发现有与国际象棋相似的东西。
>
> 如果说国际象棋在许多方面集中体现了西方式的战略，反映东方式思维的则是更古老、战略更加复杂的棋类——围棋。
>
> 虽然围棋的规则是出奇的简单，但下围棋所用的战略要远比国际象棋复杂得多。……虽然两种棋都需要高度精力集中和周密思考，象棋是一种单一性、狭窄的思维，其主要依靠预测某种走法的结果的能力，相反，围棋是多元性、广阔直觉式的思维，需要对抽象模式的认识和预测。
>
> 国际象棋通常是围绕一场简单的“得或失”的战斗，丢了一个卒也常常是决定性的。相反，围棋是有多个战场的“全球性战争”。总

之，国际象棋可看作一种战术游戏，而围棋是更高级的战略游戏。

显然，这里谈到的国际象棋与围棋的差异主要是思维方式的不同。在各民族的原始时代，都曾经有过共同的“原逻辑”思维的时期。这种原始思维，以“集体表象”（意象）为基础，通过人与物、物与物之间的神秘互渗来感知、理解外部世界，这是一种以不可分析或缺乏分析为特征的综合思维。

然而，古代希腊的哲学家们，以其对外部世界无限的兴趣，不倦的探索，逐步建立了从客观对象出发，通过对事物的分析、综合、思辨，由感性、知性到理性的较为完备的知识体系，使世界逐渐由原初的模糊走向逻辑的明晰。这种知识体系经过近代科学的充实、完善（知识日益数字化，体系日益公理化，方法由定性分析转入定量分析），逐渐形成了以逻辑分析为主要特征，以追求确定性、精确性为目标的思维传统。

反观以中国为代表的东方民族传统思维，则一直延续了原始思维的特征，更注重整体综合，更具思维的模糊性。正像中国哲学中的“道”，充分体现了整体、综合、模糊的特点。《周易》的太极生两仪，两仪生四象，四象生八卦，八卦两两相重形成象征宇宙万物的六十四卦，宇宙、世界被作为一个不可分割的整体来把握。而“道”作为宇宙本体，所谓一阴一阳之谓道，“天地之气，合而为一，分为阴阳，判为四时，列为五行”（《春秋繁露・五行相生》）。宇宙万物都是阴阳相互对立、依存、转化的结果。而五行观念强调金、木、水、火、土的相生相克，由此推衍出事物的相互联系和变化。一切事物都处在相互感应之中，天与人，物与我亦融为一体。

生天地万物又蕴于天地万物的“道”，微妙玄通，深不可测，“视之不见”“听之不闻”“道之为物，惟恍惟惚。惚兮恍兮，其中有象，恍兮惚兮，其中有物”。无形无象无规定性，浑然一体，人们可以以之概括一切，因而也就不可离析、不可证伪。

西方戏剧很早就完成诗（话剧）、歌（歌剧）、舞（舞剧）的分离，中国戏曲则一直保持着诗、歌、舞的原始混融性的特点。

西医医理建立在对人体结构、功能的分析解剖的基础上，“头痛医头，脚痛医脚”，中医把人的身体系统、功能看作一个阴阳调和的过程，综合把握，辨证施治。

在姓氏排列中，中国人名姓氏是先宗姓、辈分，其次才是自己的名字，突出的是氏族整体。西方人则先是自己的名字，再是父名，然后才是族姓，突出的是个体。

在时间、地址的书写上，中国人习惯于年、月、日，省、市、街的排列，西方人则相反。一为从整体到个别的析出，一为从个别到整体的合成。

中国人吃饭，一双筷子包吃天下，西方人则刀、叉、匙各司其职，绝不混淆。中国人喜欢共吃一个碗中的菜，以求团圆；西方人喜分吃，以示独立。西餐牛排就是牛排，色拉就是色拉，不让串味；中餐讲调和，常常是酸甜苦麻辣五味俱全。

如此种种，不一而足。

再来说围棋。围棋是讲究整体的一种游戏，群体重于个体。象棋的子都是个体性的，大家各司其职；围棋子的价值则决定于这个子的位置，它与其他子的关系。选择定式需看全局的配置，每一处的战斗都可能与其他各处地方息息相关，牵一发而动全身。棋从断处生，被断开的棋容易受攻，棋连成一片则威力大增。中国古代围棋规则中甚至有“还棋头”之说，多一块棋，终局计算时就得多还对方一子，这大约还是在强调“群体”的价值。

围棋所具有的这种整体性、综合性，使它与象棋相比更代表了东方的智慧。这种智慧有其睿智、深刻的一面，现代科学的许多发现往往都可从古老的东方文化中找到渊源。但这种带有原始混融色彩的整体、综合，有时又因为其不可离析性、不可证伪性而难以发展为科学。

围棋亦然。当中国先人以阴阳五行来诠释围棋，比之于宇宙之“道”，“棋法阴阳，道为经纬”，使围棋成为一种玄而又玄的东西。它在提升了围棋的同时，又使围棋作为一门“技艺”或多或少被人们所忽视。中国古代的棋艺理论著作，点评式、随感式、经验式的多，而少有经过分析而走向综合的具有完整理论体系的著作，大约和这种思维方式有关。

围棋的综合性、整体性，决定了它的模糊性特征。模糊性是和精确性、明晰性相对的一个概念，指的是人们在认识过程中关于对象类属边界和性态的不确定性。作为矛盾对立的双方，模糊性是绝对的、普遍的，而精确性则是相对的。它们互为条件，彼此渗透，也可以相互转换。

西方传统思维以追求确定性、精确性为特征，体现在对围棋的认识上，他们甚至可以将围棋的起源时间这一本来模糊不清、大家争论不休的问题精确到“围棋于公元前2356年由中国发明”（《大英百科全书》《美国百科全书》）。在行棋的过程中，面临多种选择时，西方人总是希望人们能够确切地告诉他哪种才是最好的，而这恰恰是围棋最难的地方。职业棋手可以把很多种变化都算清，难的就在于之后的选择。有时，哪怕是局后的复盘，也难有明确一致的结论。

国际象棋的计算机对弈程序已达到很高的水平，甚至已可战胜世界冠军卡斯珀洛夫。但围棋的对弈程序水平仍很低。这一方面是因为围棋的变化过于复杂，另一方面是无法解决“定量”的问题。数学家吴文俊曾谈道：

> 数学是要算的，围棋恰恰是不能算。数学的算和围棋的“算”是不一样的。围棋要做到真正能够进行数学处理，首先要考虑建立数量的关系，说得简单一点就是要“定量”。没有这一步，就是难的。比如说围棋的子力，这枚子放在棋盘上，位置高低，光说子的力量大或者小不成，一定要讲子力的多少。

这样的表达方式，在现在看还非常遥远。

围棋的这种模糊性，决定了在表述时也经常是用模糊语言，古人所谓的“入神”“坐照”“虚实”“奇正”“体用”“道器”“象数”“机”等范畴且不说了，今人在判断形势、得失时，也好用“稍优”“有趣”“可下”“稍亏”“疑问手”等，也就是说，如果把好与坏看作0与1的话，其间尚有很多模糊区域，无法有明确的归属。

棋盘中的一些东西有的时候甚至无法用语言来表述，便只能借助于直觉、体悟。比如布局的感觉，对外势的价值判断，势与地的转换等。棋手在长期的学习、实践过程中，经过不断的积累，有时突然会有一种飞跃性的顿悟，在棋的境界上进入了更高一层。

直觉、灵感、顿悟，是一种发散性的、创造性的思维，是对形式化确定思维的一种积极扬弃。它从个体经验体验出发，以人的逻辑推演能力为条件，是一种较高水平的整体综合思维，一种高级模糊化思维。它更多地体现了东方思维的特点。中国哲学的“道”本身就是经验性的，道不远人，道不离器，目击道存，在对世界万物的体验、静观中，你就可能领悟“道”。因而中国哲学不重逻辑分析，而重直觉与体悟。“致虚静，守静笃”，致虚而守静，守静而观复，观复而见道，这种对“道”的静观体悟方式，同样是中国文人对诗、对艺术的领悟方式。“万物静观皆自得，四时佳兴与人同”，得意在忘象，得象在忘言，这是道，是诗，有时也是棋。

五、西方人眼中的围棋

前面从东方文化的角度谈围棋，谈围棋思维与西方的差异，这一节我们不妨换个思路，看看西方人眼中的围棋。

中国职业棋手郭鹃在欧洲传播围棋的星星之火，她写过一组《欧洲围棋风情》，其中一篇有《法国围棋夏令营》是这样说的：

> 法国围棋夏令营已经有了十几年的历史。据说最初就那么一二十个人，后来逐渐发展，现在每年来“过瘾”的棋迷有二百人左右！
>
> “过瘾”这个词听起来似乎不那么严肃。我们中国人向来比较认真，参加什么活动一般来说都有一定的目的。不是为了学到什么，就是为了得到什么，并且不达目的誓不甘休。法国人在世界上本来就有“极不严肃”的名声，而法国棋迷就更糟糕了。参加夏令营的棋迷中，绝大部分完全不抱长棋的态度。喝酒、聊天、跳舞、睡懒觉、晒太阳

是夏令营的主要活动内容。

五年前在伦敦时，一天对面走过来一个身高两米左右的大个子，自称是法国围棋协协会的秘书长。他极力鼓动我和我的家人一起去他们的夏令营。从此，我们便加入到这个“极不严肃”但极其快乐的活动中……

虽不“严肃”但极其快乐，也许，这恰恰是围棋的本来面目。中国人过去过于把围棋与修身、教化、求道联系在一起，而今又过分地使之技艺化，纯粹把围棋当作一门“技术”（职业棋手更盛），种种的夏令营主要都是为孩子们提高棋艺，以图有朝一日迈进职业门槛准备的，传道、授业、解惑，使围棋变得过分严肃。相反，不“严肃”的法国人反而可从中获得更大的乐趣。也许，这就是文化的差异。西方人把游戏看作人的身心全面健康发展的需要，中国人则把游戏看作“吃饱了撑的”，所以做什么事都“不是为了学到什么，就是为了得到什么”。

又想到足球。足球是一种游戏（当然，职业化之后又成了许多人谋生的饭碗，掺和进民族意识，便成为为国家、民族争面子的一种东西），是一种全民都可参与的广场狂欢。

据说，欧洲的狂欢习俗源于古罗马的农神节，而在中世纪欧洲天主教国家狂欢节最为盛行。也许，正是宗教的严格律令对人的思想、行为的种种限制，使处在过度压抑中的人们需要有一个宣泄的渠道。

在现代文明社会里，人们逐渐从宗教的各种禁锢中解放出来，却又在不经意间为自己套上了一重新的精神枷锁，这就是过度张扬乃至被神化了的理性。弗洛伊德认为文明即压抑。在理性主义至上的社会里，等级、各种禁忌、限制，依然使人痛感到生存的不自由。而各种体育竞技，特别是足球，便以其广场上的全民性的狂欢构成了现代文明社会中的另一重世界、另外一种人生。足球真正吸引人的是那种可以让人全身心投入其中的无穷的快乐。并且，狂欢的广场完全是开放式的。球员与球迷之间，固然是一种表演者与观看者的关系，但球员的表演带有浓厚的自娱性质。而球迷在观看中，穿着新奇怪异的服装，脸上涂得红红绿绿，手舞足蹈，摇旗呐喊，评头论足，或喜不自禁，或痛心疾首，事实上，他们也就参与到了表演之中。狂欢节，这是没有舞台、不分演员和观众的一种游艺。在狂欢中所有的人都是积极的参加者，都参与狂欢戏的演出，人们不是消极地看狂欢，严格地说也不是在演戏，而是生活在狂欢之中。

正是在这种全民性的狂欢中，足球向人展示了生命存在的另一种方式。这是脱离常规的生活，“翻了个儿的生活”。在这里，除了踢球者与看球者的差别，其他的种种特权、等级已经最大限度地被消解。人与人之间，与等级制社会相关的种种畏惧、恭敬、仰慕、礼貌，被代之以随便而亲昵的接触。每个人都可以解下面具，解除种种束缚，回到自我的本真状态。

这正是足球的魅力。如果说官方的节日总是以其端庄、隆重显示其正统，它的目的是在庆祝其制度的地久天长，万世永恒，因而总是指向过去。而在足球式的狂欢节中，生命激情、暴力、冲突、新生、崇高、卑俗则融为一体。这是一种暴力游戏，但在力量之美、冲突之美中，又包含着生生不息的生命活力。它在某种意义上是对官方、正统秩序的背叛，但因此又使这种秩序得以维持。

围棋也许同样包含着人的自我的扩张，情感的释放，只不过它不是在狂欢广场，而是在小小棋盘中。它同样打破了日常生活的种种规矩、禁令及人与人之间的等级秩序，人人平等参与，自由来往，不拘形迹，从而构成了人的另外一种存在状态。当然，这种东方式的“狂欢”比起足球含蓄得多，文雅得多。

西方人在把围棋纯粹当作一种游戏的同时，他们有时也有很功利的一面。美国不少大学都开设围棋课，在西弗吉尼亚大学，围棋是逻辑学课程的一部分，在弗吉尼亚·威廉·玛丽学院，围棋是关于东方哲学的普通课程。在弗吉尼亚大学商学院，围棋是东方商业课程的一部分。学习围棋，赤裸裸地是为了商业的目的，因为据说日本人在经济、商业领域领先，乃是日本人运用围棋思维于商业，所以要想战胜日本人，必须学会下围棋。

西方人在玩围棋的同时，又非常实际。他们可以从围棋中学习经营企业、做生意。法国《费加罗报》上，曾介绍博萨尔公司的两位顾问弗朗西斯·图阿齐和塞西尔热弗雷合著的《企业管理学与围棋战略》，其中有这么几段：

> 东方人有目的有步骤的做法，部分可用围棋的哲理来说明。这种游戏把“眼”当作创造人际协同作用的因素。企业经理不再是裁判者了，而变成了合作者之间不可缺少的纽带，他应当经常听取周围人的意见，以便理解他们提出的要求。这样个人之间一种看不见的关系——如同围棋子的关系——就建立起来了，它的力量在于他们之间建立起来的联系和团结。

这种人道主义的管理政策是企业管理的有效的工具。这种意见交换是在消除决策过程中犹豫不决现象的商讨范围内进行的。成功的秘诀之一就是经理和他的部下之间很好地交流信息。因此，企业中的职工必将感到自己通过在既定战略上的一致行动和一致的看法而直接参与了企业的生活。

游戏也罢，功利也罢，西方在把围棋作为一种“艺”接受后，他们按照自己的思维习惯，做了独特的解读。也许这里面不乏“误读”。所谓误读就是按照自身的文化传统、思维方式、自己所熟悉的一切去解读另一种文化。但有时，“误读”也可能不乏“洞见”。正因为有“误读”才可能有不同见解，有不同见解才形成对话。

正像围棋，中国传统或者只把它当作“技艺”而贬低它，或者把它当“道”而神化它（重道轻技本是中国传统），两者都不利于围棋的正常发展，当代围棋在过于强调“竞技”的同时，又忽视了围棋的其他很多方面。西方人从围棋中读出了许多东西，在这里，有游戏，有企业管理之道，有东方战略思维，有人道主义，正是在这些“正读”与“误读”中，围棋拥有了新的内涵。

文化需要对话，围棋也需要对话，在对话中理解他人、他种文化，在对话中更进一步认识你自己。围棋，这门古老的东方艺术，也就可能在对话中不断地翻出新意。

原载《围棋周报》，2001.10.30—11.27，分 5 次载完

《名人》的魅力

1938 年 6 月 26 日，本因坊秀哉名人的告别赛在芝红叶馆举行了开棋仪式，对手是经过选拔赛打上来的木谷实七段。比赛从箱根到伊东，几易对局场地。中途因名人生病休战三个月，断断续续下了十四回，至 12 月 4 日结束，历时近半年。比赛以名人执白 5 目负告终（黑先不贴目）。一年后，名人寂寞地离开了这个世界。

在告别赛进行过程中，作家川端康成自始至终不离棋盘左右，他不仅关注着棋局的变幻，而且细心观察棋手平时及对弈时的表情、动作、语言，周遭的环境、自然风物。告别赛结束一个月后，川端开始撰写《本因坊名人告别赛观战记》，在报上连载，共六十四回。《观战记》获得极大成功，在读者中引起强烈反响，日本棋院因此授予川端初段棋位。

但《观战记》作为新闻报道仅仅记录了棋局的进程。如何把活生生的人写出来，川端尝试用另一种形式，通过小说写出“自己的东西”。从 1942 年到 1948 年，他先后写了《本因坊秀哉名人》《秀哉名人》《夕阳》《花》《未亡人》等短篇，从各个不同角度描写名人及他周围的人。但川端始终觉得意犹未尽。时隔三年，从 1951 年至 1955 年，他又将之改写成《名人》《名人的生涯》《名人的素养》《名人的余韵》等既相联系又相对独立的短篇。1964 年又重新修改，始以《名人》的篇名，连同《吴清源谈棋》，由文艺春秋社结集出版单行本。

有道是吹尽黄沙始到金。一次次的打磨、提炼，才有了最终的《名人》。川端自称这是他所有著作中最喜爱的一部作品。他在《名人》单行本的后记中曾写道：“我的勤奋，之所以专注在《观战记》和这篇《名人》上，不仅是因为我观战当时爱好围棋，而且是由于我对名人的敬重，可以看出我对这种过于感伤情调的依恋。”

《名人》的魅力首先在于它所揭示的深厚的日本文化也包括整个围棋文化的底蕴，它对即将逝去的传统那份深深的充满感伤的追怀。小说曾写道：“日本武道和艺道的精神是息息相通的，同宗教的教义也是息息相通的。围棋是最好的象征。”

武道的精髓在于刚毅果敢、坚韧不拔、永不屈服。秀哉名人又瘦又弱，体重仅八十来斤，腿肚子只剩下两根骨头，让人担心它是否能支撑起整个身体。但一坐到棋盘前，他就成了武士，一股威猛之势扑面而来，眼睛放射出无敌无畏的光芒，矮小的身躯也变得高大起来。“不败的名人”不仅靠的是精湛的技艺，也得力于强大的精神力量。在告别赛时，他已是疾病缠身，“话又说回来，六十五岁的老名人是一位首屈一指的棋手，怎么竟能强忍着病痛的折磨，坚持到迫使拼死盯住他的对手基本上失去先手的作用呢？这不能不说是精湛的搏斗”。名人为此的付出，已大大超过了他肉体的承受力，那是另一种力量在支撑着他。川端借名人的口，打开了他心灵的窗户：

> 噢……问题是我在那以前会不会病倒……总之，坚持到现在没有病倒，连我自己也觉得不可思议。我倒不是考虑什么特别深奥的问题，也没有什么称得上信仰的信仰，光凭棋手的责任是坚持不到现在的，我想是某一种精神力量在起作用。

作为棋手，在名人看来，为了完成一件杰出的艺术作品，不让其半途而废，哪怕“就是死在棋盘旁，也是出于棋手的本愿”。从这个角度说，名人的所作所为典型地体现了日本的武士道精神。

武士道并非只讲杀人，而是更强调勇猛精进、磨炼意志、忘却生死。由“杀人刀”而变为“活人剑”，如同文殊菩萨手中之剑，斩除的是人对生死的执着，是人自身的贪欲、嗔恚、愚痴。于是，武道与禅道、艺道又有了沟通。秀哉在棋盘上不仅是个武士，也是得道之僧。本因坊家从第一代日海（即算砂）以来，本来就都是僧籍。“现在的名人也是出家人，僧名叫日温，还穿袈裟呢。”名人一坐在棋盘前，“燃起斗志，气势逼人”，就如同一僧人，进入了明净无我的正定、专一、虚寂的三昧境界。他是在精心雕塑一件艺术品，他将整个的身心投入到其中，每一颗棋子都被赋予了情感，流动着名人的生命，也就在棋盘上获得了延续。这是竞技，也是美的创造。当对弈者双方都殚精竭虑，力求走出最好的着式，双方都无明显的失误，局势犬牙交错，始终处于均衡状态，无论棋手还是棋局，便都进入到一个令人心旷神怡的艺术境界，显示出一种无法形容的美。

可惜，美总是脆弱的。就如同一朵花，需要精心的呵护，稍不留心，就会被摧折，零落成泥碾成尘，流水落花春去也。川端把围棋看作是传统美的象征：

> 提起传统，围棋也是从中国传来的。不过，真正的围棋是在日本形成的。不论是现在还是三百年前，中国的棋艺同日本无法比拟。围棋的高深是由日本人探索出来的。这与昔日由中国传来的许多文明在中国已经相当发达不同，围棋只有在日本才完全发展起来。不过，但那是在得到江户幕府的保护之后，是近代的事了。早在一千年前，围棋就传入日本。经过漫长的岁月，日本围棋的智慧也没有培植起来。据说，在中国，人们把围棋看成是超凡脱俗的游艺，充满了天地之元气，三百六十有一路包含着天地自然和人生哲理。然而，开拓这种智慧之奥秘的正是日本。日本的精神超过了模仿和引进。从围棋来看，这种情况很明显。
>
> 也许其他民族没有围棋、将棋这类充满智慧的游艺和消遣技艺。思考一盘棋的时限是八十小时，决一胜负就得用三个月的工夫。这在别的国家里也许是没有的。大概是围棋也如同能乐、茶道一样，早已根深蒂固地成为日本不可思议的传统了吧。

秀哉便是这一传统的代表人物。“从明治的草创期，经过勃兴，到近年的昌盛，名人一直肩负着围棋的重任，是棋界的头号人物。”而告别赛，则预示了时代的转折与交接。比赛是按照现代方式进行的，限时制、禁闭制、封手制，它更符合现代公平、平等的竞争原则，对于习惯了随心所欲的名人来说，是一种限制。可以说，传统的名人是以现代方式进行了一场与传统告别的比赛。现代“合理主义”与传统棋道的优雅之间的冲突，也就不可避免了。

> 一切全限制在几条规则之中。棋道的风雅已经衰落，尊敬长辈的传统已经丧失，彼此的人格也不受尊重了。名人一生中最后一盘棋，受到了当今合理主义的折磨。就以棋道来说吧，日本和东方自古以来的美德也就不复存在，一切的一切都依靠精打细算和规则办事。左右棋手生活的晋级，也是根据细微的分数制度，只要胜了就行。这种战术优先于一切，使作为技艺的围棋的品味和风趣都渐渐丧失殆尽。当今社会的做法是，对手虽说是名人，最终还是以公平的条件来参战的。这不是大竹七段个人的关系。再说，围棋也是竞技，最后要见胜负，这是理所当然的。
>
> ……
>
> 从某种意义来说，秀哉名人好像是站在新旧时代转折点上的人。他既要受到旧时代的对名人精神上的尊崇，也要得到新时代给予名人的物质上的功利，于是膜拜偶像的心理同破坏偶像的心理交织在一起。在这样的日子里，名人出于对旧式偶像的怀念，下了这最后一盘棋。

小说中的大竹七段，鉴于吴清源与秀哉名人比赛的教训，坚持原则，捍卫好不容易争来的公平竞争的权利，应该说无可厚非。但从另一角度说，“虽然七段按规则办事，但名人在草创期一直肩负重任，成全其六十五年生涯的告别赛，难道不是后继者的本分吗？”正是在这个意义上，川端把自己的感情倾向明显地偏向于代表传统的名人一方。特别是当大竹第一百二十一手，走了类似寻劫的封手，让人误解他是想为此留下三天的思考时间，这引起作为观战者的作者“心中不乐，十分激动。大竹七段这手是为了封盘而封盘，还是把封盘作为战术来运用？我怀疑：这是怯懦和卑劣的表现”。它也在名人内心中激起了巨大的波涛，名人甚至在心里产生了激烈的思想斗争，是否放弃这盘棋，因为在一幅图画上突然被涂了黑墨，一件艺术品也就被破坏了。正是在这种心态下，名人尽管最终坚持对弈，但走出了“愤怒”的第一百三十手。“就算名人本人，也无法了解自己命运的波澜或各路妖怪的魔力。”就这样局势急转直下，不败的名人失败了，它同时也就宣告了一个时代的终结。

川端是个传统美的追寻者。他在《古都》中，通过内部和外部两个世界来展示日本的传统美。外部世界是京都以及周围的自然景色、四时风物和名胜古迹，内部世界是人物之间的充满温情的人情世界。川端由此把作品看成是“一部探寻日本‘故乡’的小说”。而《名人》同样为即将逝去的传统唱了一曲凄美的挽歌。对大自然和人物内心世界的细腻感受，浓郁的抒情色彩和一种难言的悲哀情调，构成了川端包括《名人》在内的几乎所有小说的风格。它也体现了日本传统美学中悲与美联系在一起的“物哀精神”。

川端康成曾说，美只存在于“少女、孩子和濒于死亡边缘的男人”。名人便是属于这样一个男人：

> 名人绝不是美男子，也不是富贵相。毋宁说是一副粗野的穷相。不论取哪个部分，五官都不美。比如说耳朵吧，耳垂像压坏了似的。嘴大眼细。然而由于长年累月经受棋艺的磨炼，他面向棋盘时的形象显得高大而稳重，仿佛在遗容上也荡漾着灵魂的气息。他像在酣睡，合上的眼睑露出一条细缝，蕴含着深沉的哀愁。
>
> 我作为观战记者，最初看到的是坐着的名人那单薄的小小的膝盖。这张照片也像非现实的东西。在这张照片上留下的，也许是一张由于一心扑在棋艺上而丧失了许多现实的东西、最后落得悲剧下场的人的脸，也许是一张殉身于命运的人的脸。正如秀哉名人的棋艺以这盘告

别棋而告终一样，他的生命也宣告结束了。

小说首先从名人的逝世开始写起，接着写名人在告别赛中的失利，然后才追溯到开棋仪式。中间又不断穿插作为观战者的“我”为名人拍遗容照片的情景，穿插名人的生病，有时，连名人下棋时也给人感觉“像个幽魂”，在户外阳光的映照下，“名人的身影显得更加暗淡、凄怆”。小说结尾，名人寂寞地去了，“我将花束递给了夫人，她正坐在名人的灵车上”。

怜悯、壮美与悲哀、伤情的融合，使小说既可以让人在棋盘上听到金戈铁马的号角声，又弥漫着深沉的悲凉之气。就连作为胜利者的大竹仿佛也被感染了，书中关于他下完棋的状态有这样一段描述：

> 我也回到自己的房间，偶尔探望一下外面，发现大竹七段动作麻利，转眼换上了棉袍，下到庭院，独自坐在对面的长凳上。他紧抱双臂，耷拉下苍白的脸。冬日临近黄昏，暮霭朦胧，他在冷飕飕的宽阔庭院里陷入了沉思。
>
> 我打开了走廊的玻璃门，呼唤道：
>
> “大竹兄，大竹兄。”
>
> 他生气似的稍微掉转头，大概是落泪了吧。

日本文学评论家藤井了谛曾说：“《名人》所描述的秀哉名人，不单纯是秀哉名人的人生记录，而且也是作家川端康成本人所憧憬的人生。”秀哉的棋道修养，他的斗志，他将围棋艺术与生命追求融为一体的境界，都是川端所憧憬的。而秀哉的失败、死亡也深深地感染了川端。1972 年，川端主动选择了死亡，在盥洗室里，口中含着煤气管，安详地离开了这个世界。这仿佛是秀哉名人在他心灵深处激起的回声，死，成了他人生中最后的美的幻象。

原载《围棋报》2001 年 1 月 10 日，20–24 日合刊

棋中姻缘

《二刻拍案惊奇》有一篇《小道人一着饶天下，女棋童两局注终身》，写一段棋中姻缘的故事，大约是中国古代白话小说中唯一一篇以围棋为题材的作品了。

小说正文前有一段引子，写某县有一秾芳亭，亭上匾额之字为唐颜鲁公之手笔，但已损坏，特请乡间一有名秀才续之。约定的“社会之日”，大家等着秀才之时，一谢姓女子一时兴起，用软衫汗巾蘸浓墨写下“秾芳”二字。秀才到来时，见这两字笔势非凡，有颜骨柳筋，索性不再重写，只在后面加一“亭”字，两人之字珠联璧合，俨如一手写成，两人心里亦相互留意喜欢，情投意合，终成夫妻。

这一段引子，乃是话本小说的“入话”。话本小说有入话和正话两个部分。入话是开头部分导入故事正传的闲话，正话是故事主体。它源于“说话”艺术。说书人在开讲前，往往要来几段诗词，讲点闲话，一为迁延正话开讲的时间，以等待后至的观众；二是通过诗词“弹唱”肃静场面，以集中听众的注意力。“入话”的内容一般与正话并无太大关联。而话本小说的入话则由原来演出现场的需要演变为一种文学的需要，入话与正话的内容渐趋密切，往往起到对正话内容的提示、阐析和发挥的作用。如本篇，显然是要以书法姻缘引出一段棋中姻缘：

> 看来天下有一绝技，必有一个同声同气的在那里凑得。在夫妻里面，更为稀罕。自古书、画、琴、棋，谓之文房四艺，只这王谢两人，

便是书家一对夫妻了。若论画家，只有元时魏国赵子昂与夫人管氏仲姬两个多会画，至今湖州天圣禅寺东西两壁，每人各画一壁，一边山水，一边竹石，永垂不朽。若论琴家，是那司马相如与卓文君，只为琴心相通，临邛夜奔。这是人人晓得的，小子不必再来敷衍。如今说一个棋家，在棋盘上赢了一个妻子，千里姻缘，天生一对，也是一段稀奇的故事，说与看官每听一听。有诗为证：

世上输赢一局棋，谁知局内有夫妻？

坡翁当日曾遗语，胜固欣然败亦宜。

琴棋书画，皆为雅事。前面讲琴、书、画中的浪漫情缘，显然是要让下面的这段故事也沾点雅气。但事实上，话本小说本为俗文学，这篇小说讲述的也是一个骨子里浸透了“俗”的故事。

这篇小说，入话讲的是两人俱各心喜、情投意合的故事，而“正话”中小道人“在棋盘上赢了一个妻子”，却颇有些引诱、强迫的成分。却说宋时有一村童，姓周名国能，学得一身好棋技，与人赌赛，时常赢些银两，“渐渐手头饶裕，礼度熟娴，性格高傲，变尽了村童气质，弄做个斯文模样”。农家之女已不入他眼，寻思以棋之“绝艺”，出外寻个好姻缘。于是打扮成小道人模样，从此云游四方，当然目的不在寻师访道，而在美貌女子。在汴京、太原等地均无所获，想到“燕赵多佳人”，来到辽国地面。那辽国围棋第一国手，是一女子，名妙观。你道妙观长得如何，有分教：

丽质本来无偶，神机早已通玄。枰中举国莫争先，女将驰名善战。

玉手无惭国手，秋波合唤秋仙。高居师席把棋传，石作门生也眩。

小道人一见心动，想着“只在这几个黑白子上，定要赚她到手”。于是在妙观棋肆对门，租个房间，写一招牌“汝南小道人手谈，奉饶天下最高手一先”。有好事者凑了赌金，撺掇小道人与妙观决一雌雄。妙观担心落败，悄悄招小道人的房东老妈说情，小道人道："日里人面前对局，我便让让她。晚上要她来被窝里对局，她须让让我。"妙观气愤不过，将计就计，想让小道人哑巴吃黄连。一日，王府招小道人与妙观下棋，小道人拿出五两金子作注，妙观未带银两，被迫以身作押，就这样在"羞惭窘迫"中将自己输了出去。妙观事后反悔："难道奴家终身之事，只在两局棋上结果了不成？"小道人向幽州府总管告状，在堂上，妙观辩道："一时赌赛输赢，实非情愿。"总管道："既已输了，说不得情愿不情愿。"况婚姻事主合不主离，总管做主"成其好事"。妙观"无可推辞，只得凭总管断合"。就这样成就一段"好姻缘"。

与父母之命、媒妁之言的封建正统婚姻相比，这段婚姻也勉强可算得上是自由婚了。但与当代自由婚姻的一个最重要的原则"自主自愿"是有距离的。整个过程，小道人目标明确，妙观却始终处在被动地位。堂堂国手，仅值五两金子，两局棋就把自己输了出去，女性的地位、价值也未免太低了一点。小说结尾的"判婚"，从现代观念来看，应以当事人的"意愿"为依据，但总管不管作为女性的一方的意愿如何，强断强合，以此成就所谓的"好姻缘"。小说带有较浓厚的男权主义色彩，体现了一种时代的局限性。

话本小说在故事的讲述过程中，往往还穿插着韵文套语。韵文包括诗、词、骈文、偶句和唱词等，主要用于描摹景物、人物情状，评论故事，调整叙述节奏。《小道人一着饶天下，女棋童两局注终身》也有不少类似的韵文套语。开篇词云：

> 百年伉俪是前缘，天意巧周全。试看人世，禽鱼草木，个有蝉联。
> 从来材艺称奇绝，必自种姻连。文君琴思，仲姬画手，匹美双传。

这是一个总括，谓姻缘天定，琴棋书画中自有美满姻缘。以下韵文皆与棋有关，但往往语涉双关，如写到小道人与妙观第一次对弈时：

> 花下手闲敲，出楸枰，两下交。争先布摆妆圈套。单敲这着，双关那着，声迟思入风云巧。笑山樵，从交烂柯，谁识这根苗？

这里一方面在写下棋，一方面交织着人物的情与欲。联系到下文：“小道人虽然与妙观下棋，一眼偷觑着她的容貌，心内十分动火。”其双关语意便不言自明了。其后写小道人让棋后，妙观又反悔，不肯以身相许，小道人闷闷过了一夜，有诗为证：

亲口应承总是风，两家黑白未和同。
当时未见一着错，今日满盘还是空。

既是咏棋，也是感叹人生。这些诗词可以说比较好地发挥了阐发故事、评述人生的作用。

严格地说，这篇写棋中姻缘的小说，还不是真正的关于围棋的小说，而是一部关于婚姻的小说，婚姻是目的，围棋不过是媒介（日本当代作家川端康成的《名人》可算是真正的关于围棋的小说）。尽管如此，作者为了突出“棋”的色彩，尽可能多地糅进与围棋相关的史实故事。正文一开始即有一段关于围棋的议论：

话说围棋一种，乃是先天河图之数。三百六十一着，合着周天三百六十五度四分度之一；黑白分阴阳，以象两仪；立四角，以按四象。其中有千变万化，神鬼莫测之机，仙家每每好此，所以有王质烂柯之说。相传是帝尧所置，以教其子丹朱。此亦荒唐之谈。难道唐虞以前连神仙也不下棋？况且这家技艺，不是寻常教得会的。

在故事的进行过程中，化用了许多与围棋相关的传说。如写周国能作为村童，为何学得一手好棋艺，人们传说：

他在田畔拾枣，遇着两个道士打扮的在草地上对坐，安枰下棋，他在旁边蹲着观看。道士觑着笑道：“此子亦好棋乎？可教以人间常势。”遂就枰上指示他攻守杀夺、救应防拒之法。也是他天缘所到，说来就解，一一领略不忘。道士说：“自此可无敌天下矣。”笑别而去。这显然是化用王积薪赴蜀途中遇仙的传说。

后面讲辽国王子到南朝，与棋待诏顾思让下棋。顾思让是南朝第一手，假称第三手。顾以一着解两征，至今棋谱中传下镇神头势。这是套用唐朝顾师言与日本王子的传说。而小道人为挑战妙观，写下的招牌，也是借用宋代刘仲甫“奉饶天下棋先”的传说。

《小道人一着饶天下，女棋童两局注终身》讲述了一个既雅又俗的故事。其实，围棋本就是雅俗共赏之事，中国古代小说也是雅俗兼具的。志怪、志人、传奇小说大致属于雅文学的范畴，所写到的围棋也多是贵族沙龙之雅棋。白话小说，作为一种俗文学，通过描写围棋而使自己沾点雅气，反过来它又以对世俗生活的描写使人们认识到围棋的“俗”的一面，“旧时王谢堂前燕，飞入寻常百姓家”，围棋如同一闺中少女，洗尽铅华，走进小说，也走近芸芸众生。

原载《围棋报》2001 年 2 月 24 日，3 月 3 日

吴清源的启示

摆在我面前的这本书，是吴清源大师的新自传《中的精神》。好些年前，便读过吴先生的第一本自传《天外有天》。对于吴先生的“英雄事迹”、传奇人生，自然早就耳熟能详。老实说，这本新的自传并没有增加多少新的东西，但是读过之后，仍有一种深深的感动。胜负早已成了过眼烟云，吴先生也并没有喋喋不休地炫耀他过去的战绩。让人感动的是他对棋的执着，对人生的那份彻悟。这本书就像一个饱经风霜的老人，一蓑烟雨任平生，回首时，已是也无风雨也无晴。

说到吴清源，人们无不佩服他对棋的独到理解与人生之境界。中的精神，大约就是这两者的融合吧！吴先生对“中”有一个有趣的分解：“中”这个字，是中央有一根棒子穿出的形状，棒子将其分割为左右两个部分，表示着阴和阳。阴阳之调和，即为中和。围棋是争胜负的游戏，但也合乎中和之道。“只有发挥出棋盘上所有棋子的效率那一手才是最佳的一手，那就是中和的意思。每一手必须是考虑全盘整体的平衡去下——这就是‘六合之棋’。”吴先生把自己87年的人生历程也看作是“追求中和的人生”。

中和，乃吴清源先生所追求的棋的境界、人生的境界，同时也是中国文化的境界，而这又是先生刻苦修炼的结果。先生的一生，就是修行的一生。当然，棋盘上的殊死搏斗，也就是另外一种意义上的“修炼”了。正是这种长期不懈的“修炼”，才造就了吴先生在棋盘上、人生中的大修为。

人们经常把吴清源先生称作“天才”，吴先生自己却从来不肯承认。还是他的弟子芮乃伟看得明白：“跟吴老师学棋后才明白，即便是天才，也还是要靠后天的勤奋努力才能够获得如吴老师这样辉煌的成绩。或者说，除了棋上的绝世之才外，还有其他很多素质，如对围棋的不带功利心的单纯的热爱、常年来静心踏踏实实做研究的习惯、对世俗功名的不动心以及对清贫简朴的生活安之若素的人生态度等等，都是吴老师作为大天才的一部分。”

吴清源的意义，正在于他不一定是天才，却攀上了仿佛只有天才才能企及的高度。如果把这一切都归于“天才”，那常人在平庸中也就有了心安理得的理由：因为他是天才嘛！其实，恰恰是吴先生对棋的执着才是最令人感动的。少年时，因为整天捧着本厚厚的棋书打谱，连中指都变形了。在一生的征战中，除了为“信仰”暂时离开棋盘的那几年，他的整个生命仿佛都融化到了棋盘中。晚年，从残酷的争斗中退下来，他却更加痴迷地开始探讨起二十一世纪围棋来，有时一坐就是五六个小时，浑不觉时光的流逝。我们一些未老先衰的“天才”棋手，或善于一手搏多兔的“全能”棋手，面对吴清源对棋的这份执着，不知该作何感想？

也许，对棋的执着、投入的程度，归根结底跟各自的围棋观有关。有人把人生分成功利人生、游戏人生、求道人生。围棋大约也包含着这样三个层面。当今功利主义盛行，棋与现实的利益被紧紧地绑在了一起。如果棋不能相应地带来所期望的“效益”，也就不能指望下棋者会全身心地投入了。吴清源却说：“我从没有把围棋当成胜负去看待。”他也很少去考虑每盘棋能给他带来多少现实的利益。特别是到晚年，吴先生更像一个天真的孩童，执着于一种游戏，全身心投入其中，自得其乐，游戏中也就有了源源不断的灵感、创造，有了对围棋之道的更深一层的领悟。于是，吴先生便成了围棋的一个最纯正的游戏者，看淡胜负却使他成了可怕的胜负师，看淡名利却在不期然间成就了他的“大名”。人生原来就是如此的奇妙！

当然，吴先生能在棋上、在人生中有如此的境界，也与他从小受到的文化熏陶及一生对中国文化的钻研有关。正如先生自己所说：“当然，要达到‘中’的境界，并非易事。这需要精神上的修养。所以，我一直很重视信仰。从五岁（虚岁）开始，我就学习《大学》《中庸》等四书五经，至今我仍然坚持每天研究《易经》。围棋是竞技，也是一种艺术、文化。可惜现在的棋手，从小接受棋艺的专门训练，而文化教育却往往被忽视，这也就限制了他们境界的进一步提高。他们有可能成为棋盘上的胜负师，却常常丧失了作为“文化人”的身份。要成为像吴清源这样的围棋文化大师也就永远是一个梦了。芮乃伟在为《中的精神》写的序中为此感叹：“关于对吴老师人生修养的描述，我们很喜欢作家阿城对我们讲的一段话：‘小时候的教育如同一颗智慧的种子，深埋在吴老师心灵的土壤里，经过这么多年的灌溉培育，那一粒种子已悄然地长成一棵枝叶茂盛的大树。’可惜在现在的中国棋界，已经很难找到这样的人了。”

总说“长江后浪推前浪”“数风流人物，还看今朝”，芮乃伟却有如此感叹，这不知道是棋手的悲哀，还是这个时代的悲哀？！

观棋者语

有道是，观棋不语真君子。可有时，读书观棋，有话要说，如鲠在喉，老憋着也难受，此时，又何妨一吐快之。列位看官，这里将平生读过且有所感的与围棋有关的书一一列来，或褒或贬，或拍砖或灌水，全凭一己私心，而非公断。您茶余饭后，也就请便吧！

《我的围棋之路》

聂卫平是和擂台联系在一起的，他仿佛将毕生修炼的武功，都倾注在了擂台上。第一届中日围棋擂台赛，他危难时刻显身手，力挽狂澜，中国队破天荒赢了围棋老大——日本。顿时在全国上下掀起一股围棋热潮。这个时候，聂老回首来时路，一定是踌躇满志，感觉好极了。

在书中，聂老自述其围棋与人生之路和难忘的四十局棋。聂老这一路行来，与围棋的情感，给人的感觉就像是初恋。一个人在约会的时候，是不会计较天冷天热、是否有蚊子、能否赚大钱、将来孩子长啥样的。聂老那时对围棋大约也是这样。北大荒里对围棋的那份刻骨的相思，一旦能厮守在一起时的那种快乐、那份狂热，为了围棋，做什么都无怨无悔……有了这一切，还有什么不可征服的呢？

真是激情燃烧的岁月啊！

清贫的日子原来也自有幸福。聂老自述北大荒的艰苦反而磨炼了他的意志。而作为一个农场青年，他找到陈祖德他们做工的宿舍，逮着人就没日没夜地下棋，那份痴情真是令人感动。

《我的围棋之路》从装帧到内容，也一如那份情感，简单、朴素、真挚、自然，但它又曾吸引过多少棋迷，爱着你的爱，苦着你的苦，幸福着你的幸福……

（《我的围棋之路》，聂卫平著，薛至诚整理，蜀蓉棋艺出版社，1987 年 4 月）

《超越自我》

在我学棋的历史上，给我印象最深刻的两本书，一本是聂老的《我的围棋之路》，一本就是陈老的《超越自我》。

我始终认为，在当代中国棋手中，要论思想、文化素养当首推陈祖德。他作为中国棋院院长的得失功过，这里姑且不论。但是，只要读过《超越自我》，你就会发现，原来胜负的世界中包含着如此丰富的人生内涵。而全书的文字自然流畅，干干净净，清清爽爽，显示了作者不凡的文学功底。

我已经“死”过一次了，我体味过失去这个世界的滋味，我充分地享受着重新获得这个世界的欢乐！

“我的心脏在我的虚弱的身子里强烈地跳动着……”

读着这样的文字，你没办法不感动。

作者称超越自我是他所渴望的一种人生境界，又是一个没有止境的艰难历程。浮士德在不断的自我超越中企求人生的那个永恒的美的瞬间；西绪福斯在每天推石上山的单调而无用的劳作中体验到一种让人落泪的幸福；两千年前的屈原也在漫漫长路中上下求索，虽九死其犹未悔。假如每一个棋手也都能不断地修炼自己，超越自我，而不满足于暂时的胜负、得失、名利、享受，不故步自封，那棋手的人生也就会多一些厚味，中国围棋也一定会有一些新的气象。

（《超越自我》，陈祖德著，人民文学出版社，1986 年 3 月）

《天外有天》

林语堂说：读书就像谈恋爱，知道情人滋味，便知“苦学”两字是骗人的话。

读《天外有天》，便有这种心仪的感觉。除了那些为长棋而“苦学”的教科书，《天外有天》是唯一让我读了又读的一本书。

曾赞赏过《超越自我》的思想内涵，但比起《天外有天》来，《超越自我》又有所不如了。我始终认为，吴清源先生是二十世纪最伟大的一位棋手。他不光是胜负师，更是一位思想者。胜负师易得，思想者难求。

老有人拿吴先生与李昌镐做比较，作为二十世纪的两个标志性棋手，究竟谁更厉害？这有点儿像关公战秦琼，其实并无多大意义。他们代表的是两个不同的时代。吴先生处在新旧时代的转型中，他是一位在现代竞技场上拼杀出来的棋坛英雄，但他又承继了传统文化的血脉。二十世纪可以找出能胜过他的棋手，但有他那样的学养与思想的，就绝无仅有了。这不知算不算现代围棋的悲哀？

有一次，看到一个电视节目，一位棋手出身的主持人对吴先生进行访谈。吴先生兴致颇浓，大谈他的围棋哲学、信仰，谈二十一世纪的围棋，主持人毫无反应，一次次把他拉回到现实中来：你认为中日韩围棋究竟谁强？中国棋手中你最看好谁？怎么看李昌镐？诸如此类。老先生对有些问题明显不感兴趣，但也只好敷衍。当对话者的思想不在一个层次上的时候，真正的对话也就无从实现。先生渐行渐远，连合格的倾听者都越来越少了，又一悲也！

吴先生在《天外有天》中细述如何在两种不同的文化中游走，在胜负与信仰中两路兼行。书前有几篇序。金庸赞其作为“大宗师”的“崇高的人生境界”，桥本宇太郎称其为“昭和棋圣”“禅房里修行多年的高僧”，会心之论也！

（《天外有天》，吴清源著，北京燕山出版社，1996 年 10 月）

《二十一世纪的围棋下法》

“活到老，学到老”这句话用在吴清源先生身上，真是再贴切不过了。

《二十一世纪的围棋下法》为吴清源先生在日本电视台的围棋讲座讲义，由旅日棋手牛力力整理。读这本书，我印象最深刻的不是里面大量的序盘实战研究，而是每一章前的几百字的“短论”。先生强调二十一世纪围棋的下法是一手一手保持平衡，是“六合”之棋，注重在全局和谐上下工夫。先生也不断提醒人们，切勿定式中毒。先生潜心棋道，以棋为乐，他感到越学越会发现不懂的东西。每天对着棋盘，都会有新的发现，生活也就变得快乐、充实而有意义。

“我已逾八十，余年已不会长久。但我希望能至少活到百岁，能亲眼目睹二十一世纪的围棋会变得怎么样，同时还要努力研究，以贡献于围棋界。”

生命不息，钻研不止。中国棋手，不知能否从中获得一些启示？

（《二十一世纪的围棋下法》，吴清源著，上海辞书出版社，2000 年 6 月）

《天涯棋客》

棋坛上，如果说吴清源是第一代移民棋手，芮乃伟、江铸久则可算得上是第二代了。

中间本来还可以有一代，因为当时中华人民共和国成立不久，复杂的国际国内政治形势导致移民较少。改革开放后，一批棋手走出国门，踏上异国他乡，形成一个小小的出国潮。他们去国的原因各异，但流动带来了文化的交流、冲突、碰撞、融合，却是无疑的。

促使江、芮去国的直接导火线，当初对当事人来说，可能算得上是一件名誉、事业攸关的大事，可是，时过境迁之后，一切也就成了过眼烟云。争论谁是谁非，已经毫无意义。就权当是一场历史造成的误会吧！

祸兮福所倚。江、芮的去国，并不一定就是坏事。

《天涯棋客》的副标题就叫《我们漂泊的围棋生活》。浪迹天涯，注定了其人生旅途的艰辛与寂寞，但同时也在不断地给他们带来一些新的东西，不断地在成就着他们。在日本受到排斥，却有幸成了吴清源大师的弟子；在美国远离职业棋坛，却无意中撒播了许多围棋的火种；在韩国，他们终于被接纳，有棋可下，这本身就成了一种幸福，何况，还曾多次使“石佛”臣服。难怪这对仗剑行游的棋侠，要由衷地“感谢生活，感谢命运”了。

吴清源先生在为《天涯棋客》作的序中说：世界上，在中国、日本、美国、韩国都扎下根的棋士，唯有江、芮两人。仅此一点，就使他们肩上的担子加重了。

吴先生自己就是一个文化的边际人，边缘反而成就了他棋盘上的伟业、人生中的大修为。而今，他又开始寄希望于他的后辈了……

（《天涯棋客》，芮乃伟、江铸久著，学林出版社，2001年1月）

《围棋少女》

战争、少女、围棋、死亡，最能吸引读者眼球的几样东西，这部小说都具备了。

战争是残酷的，围棋本来也是残酷的，但棋盘上的试探、回应、牵手，又使残酷的围棋变得情意绵绵、摇曳多姿了。特别是如果坐在围棋两头的是异性。

这异性还是来自战争时期敌对着的两个国家的。一个是日本军人，一个是中国少女，他们在一个特殊的时期，在中国北方的某个城市，在一个叫千风广场的地方，相遇了……

相遇无须言语，有棋就行了。于是，一对异国男女在棋盘上展开了一场漫长的对话。一盘没有下完的棋，从开局的布置到中盘的厮杀，“一步棋便是通往灵魂深处的一级台阶”。与陌生人对弈，慢慢地，他们有了心息的相通。

结局当然是个悲剧。

这部小说为如何以棋来写情提供了一个很好的范例。同样，小说两条线索，分别以棋盘两端的两个“我”为叙述者，或相交，或各自顺着自己的生活轨道前行。同一个场景因为有了两个不同的视角，也就可以呈现不同的面貌。于是，一个简单的故事，也就有了变化，有了暗流，有了厚度。

作者为旅法画家阎妮，小说以法文出版，获中学生龚古尔奖，成为2001—2002年法国最畅销小说之一，并被大量译成其他文字。如何以本土的文化资源，吸引侨居国的读者，《围棋少女》似能给那些移民作家提供一点启示。但小说回到中国，似并没有太大的反响，这大约就是水土的原因了。

（《围棋少女》，山飒著，赵英男译，春风文艺出版社，2002年7月）

《围棋史话》

中国围棋史类的书见过几种，最早的是李松福的《围棋史话》，该书被称为是中国内地第一部棋史著作，有开拓之功。不过，也正因为如此，书的局限也颇为明显。全书有点儿像一部围棋故事集锦，缺乏对史的渊源、因果的内在线索的梳理，这就像画一个人，得其形似，却缺了一点儿魂。

书中还穿插了大量黑白图片，如今插图本书盛行，该书可谓得风气之先。不过印刷质量不敢恭维，图片大都模模糊糊，只能算立此存照，聊胜于无了。

（《围棋史话》，李松福著，人民体育出版社，1990 年 9 月）

《中国围棋史》

二十世纪九十年代末一下子冒出了两部中国围棋史著作——一部是张如安独著，一部是蔡中民、赵之云等合著的《中国围棋史》教材。不知是不是百年之交，千年之交，“瞻前顾后”，大家都觉得该做点承先启后、盖棺论定之类的事了。

作为中国围棋协会培训中心指定的教师用书，蔡、赵等合著的《中国围棋史》颇符合教材的一些共同特点。一是合作撰写，作者有八人之多；二是体系完备，全书分三编——中国古代围棋、中国近代围棋、中国当代围棋，可谓一部中国围棋通史了。当然，求全便难免粗疏，特别是越到当代，越像围棋大事记，缺少些内在的人文精神的关注，围棋的魅力自然也就大打折扣。

从学术的角度说，张如安独撰的《中国围棋史》应该是最扎实、最有价值的一部围棋史著作。张先生毕业于中文系，就职于宁波师范学院，自称专攻古典文学和浙东区域文化。可他广为人所知却是因为两部棋史著作《中国象棋史》《中国围棋史》。作者的古典文学、文献功底使他在棋史资料的搜集、辨正、诠释上，在对古典文化、艺术的体味、理解上均有过人之处。如果各学科的学者，在专业研究之余，都能像张先生一样“不务正业”一回，那中国的围棋史、围棋文化研究，当不是现在的这种状况。

当然，业余棋手出身的学者撰棋史，也有“硬伤”，这就是对围棋本身的理解限制了从技术的层面对史的梳理。《中国围棋史》在评具体的棋手的棋谱时，往往只能引用其他古谱赏析类书的评点。这就像写中国文学史，却无法做文本分析，其局限可说是致命的。学者的棋力有限，专业棋手的文化素养往往又有欠缺，这就决定了棋史著作中很少有文化史、思想史与技术史高度融合在一起的。围棋既为“技”又为“道”，能够“道”“技”融合，对中国围棋的来龙去脉做深入剖析，这就是我理想中的围棋史。

不知道什么时候能出现棋力、学养兼备的大家，撰写这样一部棋史。

（《中国围棋史》蔡中民、赵之云等合著，中国统计出版社，1999 年 7 月；《中国围棋史》，张如安著，团结出版社，1998 年 8 月）

《中国围棋》

从围棋文献的角度说，《中国围棋》应是最有价值的一本书：这本书一千两百多页，近一百万字，收录了中国各种围棋文献资料，翔实而完备。全书分六编：《中国围棋发展简史》《中国古代围棋文献和文学作品》《中国古代棋艺著作》《中国当代棋手简介》《中国的围棋比赛和国际比赛》《中国当代围棋资料》。其中尤以第二编最有价值。它将古代棋论、围棋记载、围棋传说、围棋典故，涉及围棋的诗词歌赋与小说、戏曲一网打尽。要从浩如烟海的古典文献中，将围棋文献一一剔抉、梳理出来，这本身就要令人肃然起敬了。

这部书出版时，笔者对棋尚一窍不通。学会围棋后，成了学问中人，自然对围棋文化感兴趣。《中国围棋》便成了一部常常翻阅的工具书。现在围棋技术入门书很多，而在围棋文化领域，如果通读过《中国围棋》，庶几可算入门了。

（《中国围棋》，刘善承主编，蜀蓉棋艺出版社，1985 年 7 月）

《坐隐弈谱》

中国古代棋谱著作的作者，大抵为两类人，一类为棋手，一类是文人。不同职业的人，做出的东西自然也不一样。

《坐隐弈谱》便算得上后一类人著作的代表。作者为明代汪廷讷，原字去泰，又字无如，别号无无居士、无闷道人、全一真人、清痴叟、坐隐先生，安徽人。自幼出继同宗的富商后，二十二岁前后进入南京的文人圈子，又出钱取得南京国子监生员的资格。三十岁时，捐赀当上监课副提举，从七品。品级虽低，却是个肥差。汪氏以官盐运使致富，便开始弄起风雅来。在家乡松梦山下大兴土木，始修建坐隐园和环翠堂，次年开挖深七尺许的昌湖，布置了一百多景点，日为诗酒琴棋之会。

汪廷讷由富商而朝廷命官，再为隐士，走过了一条中国士人常走的道路。他在《坐隐弈谱》自序中称："余性不偕俗……以故深惟二氏之学，释则修性，玄则修命……闲中有谈者，即相与弈棋，以洗其尘嚣，祛其世味，惟知弈之可盘桓也，遂号坐隐先生。"全书二卷，序、跋就占了一半篇幅。除自序外，还有他序九篇，《坐隐先生传》一篇，《坐隐图又有赞》一篇，《跋》一篇，《书坐隐图后》一篇，《坐隐先生棋经荟萃》一篇（其实是出自《棋经十三篇》）。另一卷收各种棋式。全书的重心其实在对坐隐先生的褒扬，棋艺倒在其次了。

《坐隐弈谱》的各类序、跋，强调的都是坐隐先生一方面以棋为游戏、适情之具，另一方面又循技而进，化艺为道，由弈而入禅悟道，智窥性命，学究天人，所谓"精于数不拘于数，妙于技不囿于技"，能得游戏三昧者，乃能不拘泥于弈而游于弈之奥，教外别传，以证名理，大道即在是也。这走的是一条将棋名理化、玄妙化的路子。它也最适合于"序""跋"一类的文体，拔高所论其人其书的品格。至于说无如先生"每一著述，书成则纸为贵，即先生足迹不到之处，知与不知，争传而读之，如枵腹而茹八珍，渴吻而尝甘露，今日之四海，他日之千秋也"（袁福征《坐隐先生订谱题词》），则吹捧得有些肉麻了。

"艺安能累人，凡艺之极精者，神也，况翰墨之为艺乎。先生之局戏，盖化艺而为道矣。"当这种言说成为棋论、艺论的一种普遍的话语模式，它也就典型地体现了古代文人的重道轻技传统。

（《坐隐弈谱》，明代汪廷讷编，广西师范大学出版社，2001年1月）

《适情录》

无如先生由弈而入禅悟道，明代的另一文人林应龙就更绝了。林应龙著《适情录》，以弈为"弥纶天地之道也者"，以此提升围棋的规格、品位，而且在形式上也完全仿《易》之格局。

全书二十卷，录有各种棋势。图说（十九至二十卷）绘有《五音谐律吕局》《五行协历纪局》《五位乘会数局》《三才定位局》《三元起例局》《三辰加临局》等奇异图形。这些图形往往是在一个大圆内，套一方形棋盘，颇类似于古代的式盘，只不过圆盘与方盘的组合恰恰相反。各个图谱还在棋局内外标注与古代律历、阴阳、五行、术数、九宫等有关的符号，如《三才定位局》，分别标有“九天”“八风”“八音”等，与古代方术中的四时、四象、五行、八卦、十二支、二十四节气、二十八宿等相配。一些棋势图侧还注有“安贞吉”“蔑贞凶”等与《易经》有关的文字，或以一图象征一爻，全图象征六十四卦的三百八十四爻。真是令人眼花缭乱，目不暇接。

从围棋之形中引发天地之象，使之符天地之至理，即所谓道。然后以道统象，驾驭各种棋形、变化，围棋成为一种玄妙之象。俞剑华先生在《中国绘画史》中说“中国之民性，喜高骛远，爱玄恶实”，信然。

不过，强将围棋之“象”“数”拟诸方术，总难免牵强附会。为《适情录》作跋的便算得上是个明白人：“夫弈之为技，虽云小数，而其纵横离合，机变万状，颇与兵法相似，故张拟著经，马融做赋，至今称为美谈。……但惜末卷妄以臆见强符天地间至理，识者不无管窥蠡测之诮云尔。”

（《适情录》，明代林应龙著，明嘉靖四十年澄心堂刻本）

《弈人传》

民国时，湖南大学的一位文学教授名黄俊，本为清末举人，晚岁筑室长沙城南，曰弈庐。身处乱世，日夕适性于黑白之中，且乐此不疲。对弈之余，闲时搜罗古昔弈友旧事，得五百余人，二十卷，名《弈人传》。

这部书为历代弈人作传，大量引录各种文献，旁征博引。且对历代棋谱、棋论作者、版本源流也多有考证。既是围棋专史，也是一部历代围棋著述目录，可谓奇书，可惜一直未能刊行。1985 年，岳麓书社才将它整理出版。“出版说明”对书的价值多有褒扬，但也以一分为二的姿态，指出本书究系出自旧文人手笔，不免存在一些很明显的缺点，例如：《列女》一卷，排列在《仙异》之后，墨守封建陈规，轻视妇女，此其一；引录旧文，泥沙俱下，宣扬道学及迷信乩仙，此其二；杂采搜神、述异诸小说家言，辑《仙异》一卷，荒诞不经，此其三。此外，附会天命、不合科学之处，时亦屡见。至于注采倾家，因棋废学，足为前车之鉴，又当别论。

此说貌似公允，实为短见。“轻视妇女”云云倒也罢了，美丽的棋话仙话传说，怎么一下子就成了荒诞不经之迷信。并且，一个大学文学教授研究棋史，也被说成了因棋废学、不务正业之举。看来，棋文化研究算不得什么学问。学术界如那江湖，正统之见根深蒂固啊！

编者最后网开一面，说对其内容未做任何修改，《仙异》之类，亦未删弃。幸哉，幸哉！对编辑的宽宏大量要表示由衷的谢意了！

（《弈人传》，黄俊编撰，岳麓书社，1985 年 5 月）

《境界——关于围棋文化的思考》

胡廷楣先生的身份是记者，曾写过一本《黑白之道》，以作者访谈的形式，采访棋界、学界的有关人士，纵论黑白之道。惜一直未能买到，只在图书馆借阅过此书。

《境界》是作者的第二部围棋著作，说是关于围棋文化的思考，其实还是保留了不少访谈的内容。胡先生既是记者，也是作家，《境界》充分发挥其所长，以生动流畅的文笔，写棋人棋事，写围棋之美，写棋道之奥妙。棋如流水，文亦如流水，让人在顺流而下中，一边赏玩风景，一边有所感悟，正所谓风景这边独好！

（《境界——关于围棋文化的思考》，胡廷楣著，上海人民出版社，1999 年 10 月）

《围棋推理技巧》

《围棋推理技巧》探讨棋艺中的逻辑推理，前面谈棋艺水平与推理技巧的关系；中间讨论各种根据同一律、对立同一律、系统联系律而进行的推理，如联言推理、假言推理、假联推理、选言推理、直言推理、辩证推理、系统推理等等；最后为实战中推理的综合应用。

这本书可以说是用西方形式逻辑理论研究围棋的一次有益的尝试。西学在二十世纪风靡中国，早已成了学术研究的普适性话语。但完全用西方理论研究中国围棋，倒不多见。围棋本身，确实体现了许多分析性、逻辑性思维的东西，这对一直强调中国传统思维中缺少逻辑思维的说法是个有力的挑战。但中国古典棋论中确实对此很少有系统的总结。最终还是要依赖西方理论来发掘本民族遗产的意义，这也是让人很无奈的事情。

不过，这里便涉及一个理论的适用性的问题。说老实话，我是很佩服作者的探索，也一直想好好读读这本书，但几次努力，终于都是半途而废。那些各种各样的推理，弄得人头大。一般人下棋，恐怕也很少去顾及这是什么推理的。这本书的理论实用性，可能要打点折扣了。

（《围棋推理技巧》，王经伦著，蜀蓉棋艺出版社，1995 年 10 月）

《胜负与艺术》

书的副标题为《我的围棋之路》，作者藤泽秀行先生自述其人生与围棋之路。不用说，秀行先生的人生中充满了许多戏剧性的吸引人的东西，但最令我感兴趣的还是秀行先生的围棋观。

书的名字其实就已经昭示了围棋最本质的两个方面。一些棋手只盯着胜负，而秀行却更看重围棋的艺术。在秀行先生看来，胜负与艺术并不矛盾。名局的条件就是每一着都走在它所面临的局面的好点上，好点接着好点，构成一个进程，就像名画鉴赏，使鉴赏者为之感动。能够达到此种艺术境界，还有什么棋赢不下来呢？

艺术是充分个性化的，围棋亦然。人的性格不一样，感觉也各异，走自己喜欢的有个性的棋，而不是千篇一律，围棋才会有意思。在自由的天地——方寸大的棋盘上驰骋，棋手的个性如五彩缤纷的花、画、书一样，棋盘上也就有了诗情与画意。这就是围棋的魅力。

秀行先生与其说是棋手，其实更像一个浪漫主义诗人！

（《胜负与艺术》，藤泽秀行著，张唤民译，百花文艺出版社，1999 年 1 月）

《我所认识的藤泽秀行》

女棋手中不乏才女，不光棋下得好，文学素养也很不错，孔祥明就是一个。

自古才女多薄命，孔祥明也似没能超出这样一个定律。婚变、饱受误解、漂泊他乡、独自教子、为生计而奔波……一个女人能受的苦她都尝过了。好在这一路中也自有热心的扶助者，秀行先生便是最让她难忘的一个。

孔祥明将秀行先生称作"恩师"，把秀行夫人当作"日本母亲"，可见他们之间的深情厚谊。当作者终于又找到自己的归宿，带着感恩的心理，回忆与秀行一家交往的点点滴滴，字里行间也就充满了一份温情。在朴素的述说中，不用煽情即自有一种打动人心的东西。

书的内容也颇为奇特。上篇自述与藤泽秀行一家的交往，作者从交往中发现，在一个有名的但生活上又缺少节制的男人背后站着的往往是一个了不起的女人。中篇《藤泽秀行人生之道》却是以秀行先生的口气，谈人生，谈围棋。没有对秀行先生的透彻的了解，恐怕是不敢如此代秀行先生立言的。不过，这里便出现一个问题，秀行谈的人生之道，多少是秀行的本意，多少是作者的揣度？倾听与对话，这本身便是一个让人感兴趣的话题。书的下篇是《藤泽秀行名局鉴赏》。都说文如其人，棋如其人，观其棋而知其人，可也。不过，让人感觉美中不足的是，这里名局鉴赏，更多的还是纯技术性的解说，并没有与前面的人生悟道融为一个有机的整体。我始终觉得，好的棋评应是既评棋，又能深入到下棋者的内心世界，方有真正的会心之论。以孔祥明的棋力和对秀行先生的了解，本来是可以做得更好的。

当然，这也许是苛求！

（《我所认识的藤泽秀行》，孔祥明著，人民体育出版社，2002 年 8 月）

《桥本宇太郎围棋世界》

读《桥本宇太郎围棋世界》，我印象最深刻的首先是桥本的序《大佛之光》。桥本谈 1983 年的一次访华观感，在云冈石窟的大佛前的慑服、震撼，在一望无垠的内蒙古大草原中的惊叹，在昭君墓前的沉吟……作者很少言棋却又似处处不离棋。最后，桥本感叹“是大佛之光照亮了一切”……

桥本的父亲是个虔诚的宗教徒，小桥本也差点出家为僧，命运的阴差阳错却让他成了棋手。在胜负的世界，时时要面临武士真刀实剑一般的“血战”。但桥本的内心世界，又时时闪现着佛之光。昭和二十六年（1951），在升仙峡的寺院里，与坂田的本因坊挑战赛的血战、逆转，桥本把这一切都归结为佛的旨意。在他看来，围棋是胜负世界，为争胜负就必须赴汤蹈火，万死不辞。然而，围棋同时也是探求真理的世界。“魔鬼之相”应该换为平心静气、虔诚求道的“慈佛之心”。所谓“胜负里的慈佛”，正是一种境界。

多年之后，桥本来到升仙峡旧地重游。再次登上身延山，朝拜久远寺，到佛前进香还愿：

> 放眼望去，水光山色显得格外秀丽亲切，当年鏖战的情景又浮现脑海，使桥本感慨万千。忽然，眼前一亮，升仙峡里金光万道，甚是迷人。再看那激流中露出的几块黑白石头，在浪花中若隐若现。仙人布石，佛光久远。桥本终于茅塞顿开，深深地体会到围棋这玄妙世界像大自然一样，只要虔诚地寻访，一定能欣赏到那圣灵的仙之气，佛之光……

读着这段文字，对日本人孜孜以求的棋道，也许你会有一些新的领悟。

（《桥本宇太郎围棋世界》，志智嘉九郎著，李中南等译，蜀蓉棋艺出版社，1999 年 7 月）

《日本围棋四百年激战风云录》

一部日本古代围棋史，就是四大家不断明争暗斗的历史。石田芳夫的这本书以日本围棋四百年中的争棋为线索，将历史故事与棋谱解说结合起来，可谓把住了日本围棋的脉。

每一次争棋的背后都有一段曲折的故事。在欣赏历史名局的同时，让读者了解有关的人与事，凝固的棋子也就有了人之情，人之性，人的喜怒哀乐。而在剖析棋局时，解说者往往充当的是对话者的角色，努力去体察对局者的心思，僵死的棋局也就鲜活生动起来。看得出，书的作者石田芳夫其实仅仅是棋的解说者，其他文字自有人代劳。所以棋谱解说中不断出现这样的字样：

> 黑 27 以下充满力感的走法使石田本因坊口惊目呆；石田本因坊凝视着棋盘，推理道：“太残酷了！白方在防守的同时全都等于在进攻，黑方实在无计可施。的确是要吐血了吧！”在这之后，石田本因坊未做任何说明。他思量着因彻没有能回报恩师殷切期望的心情，无意再去追究着手的是与非了。

有了这样生动的故事，这样人性化的棋谱解说，这书想不吸引读者都难啊！

由此想到我们的各类有关中国古代围棋的书籍，棋史、故事、名局欣赏往往脱节。名局欣赏也往往限于纯技术性的解说，可读性差。这也许一方面源于古代棋史资料都是片断性的，零散的，缺乏系统性，棋谱也很少注明对弈的时间、地点、事由。另一方面，当代的著作者对古代围棋的多方面的发掘也不够。不知什么时候中国也能出现像《激战风云录》这类既有史的价值又生动有趣的著作。

（《日本围棋四百年激战风云录》，石田芳夫著，陈明川译，蜀蓉棋艺出版社，1990 年 5 月）

《超越实地与模样》

读赵治勋的这本小册子，让人印象最深刻的有两点：一是作者的童年经历，二是他独特的围棋观。

关于童年经历与棋风的关系，很少有像赵治勋谈得这样坦诚的。六岁即远离亲人，来到异国他乡，在残酷的胜负世界里讨生活，其中的甘苦可想而知。何况，他既是木谷道场中年龄与身量最小、棋最“臭”的孩子之一，又属于外来者，无形中受到孤立也是正常不过的。这一方面磨炼了赵治勋后来赖以立身的“魔鬼”一般的意志力，但也使他长期难以摆脱自卑感，建立自信心。赵治勋称之为“精神的外伤”。这也就造就了他的棋风：“我的棋风源于少年时代没有经历过自负少年的阶段这一事实。即使我铺开了模样，对手也会大胆地冲进来，结果我还是大败。”所以地铁一样地行棋，才会踏实。

关于围棋，赵治勋也有自己的独特理解。高川格说，围棋是抢占实地的游戏，地盘大的胜；木谷实说，围棋是提掉对方棋子的游戏；岩本薰说，围棋是做两个眼求得生存的游戏；赵治勋则认为围棋就是让棋子根深蒂固。与一般棋手多把“厚”与“势”联系在一起不同，赵治勋说，取地则棋厚，有根的棋就是厚实的棋。于是，“棋子要向上发展，不能总是留在下边”，在赵治勋眼里，也就要多打几个问号了。

明白了这一点，也就明白了书名为什么叫《超越实地与模样》。而赵治勋在对棋子之“根”的孜孜以求中，何尝不是在寻求着自己的人生之根。

漂泊的人生，毕竟总是让人难以踏实的啊！

（《超越实地与模样》，赵治勋著，张唤民译，百花文艺出版社，2001 年 6 月）

原载何云波新浪博客，收入《棋行天下》，湖南文艺出版社，2004 年

黑白之舞

——《悟道黑白》序

中国的琴棋书画四艺中，有两种在现代艺术体系中曾经不被接纳，一为书法，一为围棋。大概是因为现代艺术体系源自西方，书法与围棋作为黑白之艺，却过于“中国”，在“西风”劲吹的时代，自然难登“艺术”之门了。

都说越是民族的就越是世界的。但接受与理解却需要一个过程。

好在书法终于回归艺术大家族，而围棋虽为竞技，人们也开始日益认识到它的艺术与精神的价值。所谓一阴一阳之谓道，体现的是中国艺术的审美精神，它们也成了中国文化的象征。

杭州张勇先生的《悟道黑白》就是力求以一支羊毫去探寻黑白之道的魅力。

这里的“道”当然首先是书道。大勇先生出身书香门第，自幼习书，练就扎实的童子功夫。后来入了政坛，未成为专业书家。书之技难免受些影响，但宦海人生的磨炼却又可能是一笔难得的精神财富。当人生进入知天命之年，重入书道，凭栏处，已是另一番境界。人生常常就是这样：得者，失也；失者，得也。得失之间，谁能说得清呢。

于书道，我是外行。对大勇先生的书法成就我只有欣赏的份，不敢置评。据方家称，大勇先生的书法，楷、草、行、隶、篆兼备，相对而言，楷书、隶书最佳，草书稍弱。这从《悟道黑白》中，隶、楷最多，草书较少，就可看出一些端倪。据我揣度，所谓书如其人，大勇先生的人生，似不属狂放、浪漫一脉，而长期的政坛生涯，练就了他中正、平和、沉稳之性，心随笔动，他于楷书更钟情厚重大气的颜体而非更灵秀的欧体，恐怕也有个性上的原因吧。而大勇先生于隶书用力最勤，不知道是不是从古拙凝重的隶书的书写中体悟到了人生的一种厚味。

东汉蔡邕谓“书者，散也”，书乃散怀抱之物，仔细欣赏大勇先生的隶书，你可以发现，或飘逸、或端重、或凝重中含活泼、滞涩中又生机盎然……隶、楷是最讲究法度的，大勇先生于这法度中，又不断生出些灵性与变化。有书家提出“草书须当楷书写”，反过来，从大勇先生的楷书、隶书乃至甲骨文的书写中，你又可以发现，大勇先生内心其实是藏着火，有着一份激昂与率性的。

大勇先生曾经出过一本书法集，名“心随笔动”，他说“笔随心动”是必然王国，“心随笔动”则进入自由王国，这也就成了他对书道境界的追求。而《悟道黑白》，他也曾经想以其中的一幅榜书“黑白舞”作书名。这“黑白之舞”何尝不就是书者的心灵之舞呢?

“你带来了一个世界，一种气氛，一种颤动的生气”，舞者永远是在法度中寻求自由，在大地的引力中我心飞翔。文字是有魔力的，传说仓颉造字，可使天雨粟，鬼夜哭。围棋也曾被当作占卜之物，玄妙之道，蕴涵了世界之奥秘。大勇先生的“悟道”,也就成了究天人之际的一种努力。夸父追日,未必真能如愿,可贵的是那追求的过程。

《悟道黑白》给人留下深刻印象，不光是书写本身，还有每一幅字的谋篇、布置。人们以“设计感”名之，我更愿意称之为“绘画感”，或曰“画意”。中国的书画，本来就曾经同源同体。“字”由“画”衍生而来，字天然地与图画有着亲缘关系。就像大勇先生写甲骨文的“棋”字，两手举起做握棋状，衬底是淡墨书写的历史上一系列著名棋手的名字，两者组合，本身便构成了一幅饶有意味的“下棋图”。看得出，每一幅作品的构图、色调的搭配，作者都做了精心的谋划。而像“棋之谱”一章，作者别出心裁地在棋谱中配以赏心悦目的书法，在黑与白、点与线的组合中，棋情、书韵、画意，融为一体，给人带来巨大的视觉冲击力。

《悟道黑白》中的“道”，既是书道，也是棋道。而书与棋，本来就颇多相通之处。书法与围棋都被看作是黑白的艺术，黑白两色，是对大千世界的高度浓缩、抽象，虽简单却韵味无穷。正如大勇先生所说“白与黑、点与线、虚与实、动与静”反映的是“中国人对道的追求。玄之又玄，众妙之门，是棋道也是书法”。《悟道黑白》整个集子，都是以书法来摹写围棋，“棋”为内容，“书”是表达。并且，其中不光有古今棋经、棋语、棋诗、棋联等，还有作者自己对棋的许多感悟。如此集中的以“棋”为主题的书法集，恕我眼拙，尚未见先例。

如此，便涉及《悟道黑白》的意义与价值了。大勇先生对书道的探索与贡献，无须我置评。以棋而论，它为棋道的倡扬与传播可以说开辟了一条新的路径。中国的书法本来就是实用性的，只是后来才逐渐由实用而审美，怎么写比写什么变得更重要。不少书家纠结于书法的“可读性”与“可赏性”，尽管有的认为“可赏性”才是书法的生命，但是，一篇《兰亭序》，如果抽去了其中的内容，王羲之书之“法”的价值，恐怕也要大打折扣吧。大勇先生有感于此，认为书法的内容与形式是不可分割的，古人写“书”，不是为写字而写字，而是用来传播思想的，“书”应该既是“可赏”的，也是“可读”的。正因为如此，才会有大勇先生在《心随笔动》中的“翰墨宪政”与“写意杭州”，而《悟道黑白》更是将整个的笔墨都用在了对棋道的领悟上。当书法的内容不再仅仅是抄书，而融进了书写者的思想、情感、悟性，我想这样的可阅读的书法才会真正地具有生命力、感染力吧！

（《悟道黑白》，张勇著，西泠印社，2013 年）

原载《围棋天地》2013 年第 24 期

游戏者说

——《游戏黑白》跋

很多年前就看过电影《一盘没有下完的棋》，和编剧洪洲的相识却是很晚了。两年前，收到他的一封手写的信，说正在写《游戏黑白》，陆续在网络围棋论坛上粘贴，反应不错，想请我这位“专门家”看看，提提意见。洪洲应该是比我大一辈的人，在信中却称我为兄，让我颇有些惶恐。同时，素未谋面之人，第一次就可以称兄道弟，也一下子就把两人的距离拉近了。我用 E-mail 回了封信，他马上就把《游戏黑白》前四章发过来了。我一看，这书写得确实不错，也就诚心诚意地去信谈了自己的感想：

洪洲兄：

花两天的时间，将《游戏黑白》看完了，一句话：挺好！

首先是游戏的定位。黑白是游戏，写黑白也是一种精神的游戏，这便为写作提供了很大的自由度。中国人常常喜欢将一些东西弄得很严肃、很神圣，好像不如此便不足以突出其地位、其意义。就像围棋，古人常常要把它跟天地之象、仁德之道联系在一起，今人要通过它挣钱糊口、还要为国争光，难免太累。反过来玩物往往丧志，所谓不务正业，大丈夫不为也。中国社会与文化，为游戏留下的空间太少，好在还有围棋，还有一批什么也不为就为找乐子的棋迷。本书完全以游戏的心态对待围棋，对待有关的人和事，反而使围棋的快乐得到最大限度的发掘。有的快乐恐怕又是被胜负压得喘不过气来的职业棋手所体会不到的。所以棋迷在崇拜职业棋手的同时，恐怕职业棋手也在羡慕普通棋迷的那份悠游自在。所以本书写得最精彩的部分，也就是关于自己、关于棋迷的众生态。使尽脑子诳妻的老实的张茂，神形兼备的“孔乙己”，还有唐家二姐夫们……都给人留下深刻印象。当然也包括作者自己，偶尔赢了一回职业棋手，那份快乐，真的很纯粹，毫无矫饰。其实，文学的魅力就在这里。

其二，是本书的视角，完全取的是棋迷的视角，这就决定了它的内容及其价值所在。一部围棋史，常常是职业棋手的征战史、荣誉录，用当今学术界时髦的话说，就是充满了宏大叙事，而棋迷是可以被忽略不计的。本书恰恰将重心放在棋迷身上，并且毫无古代文人叙述市井之棋时那种居高临下的姿态，所以即便从围棋史的角度说，书中所写的棋迷百态、中日民间围棋交往也是有意义的。同时书中写到不少职业棋手，让我们看到了他们在胜负世界之外的另一面，他们也就成了血肉丰满的普通人。偶像往往容易被神化，对棋迷来说，职业棋手便近似于“神”，当“神”走近芸芸众生，少了点“神”的气息，也就更多了一份人的魅力。

人们常常把文化分成雅文化与俗文化、正统文化与民间文化，本书能雅能俗,雅起来雅到极致,俗也俗得让人心动,难得的是无论雅俗,都自自然然，毫无冠冕堂皇、假正经的东西，这就是它的可贵之处。

其三，书的定位与视角决定了全书的语言非常轻松、口语化，还有一种北京胡同里散发的气息。这种叙说风格与内容颇为吻合，正所谓相得益彰。

就这样算相识了，虽然是通过文字，却有不见也如故之感。后来洪洲又劝我去灯笼看看，说他在里面主持围棋论坛《弈人呓语》，那里有一帮很不错的棋迷朋友。那之前我从未去过各种论坛，正是在洪兄的撺掇下，开始了我的触网之旅。以“黑白仙子”的名义，在灯笼论坛发了一些帖子，第二篇题目就叫《洪洲兄》。不过因为有了“身份”的改变，写起来也就自由了许多。里面充满了调侃、戏谑，洪兄也不以为忤。就这样没大没小地开始了与洪哥的往来、斗嘴。洪老的地位也就不断下降，由老爷子到洪哥，再进一步就成了阿洪、瓜哥（下棋者，切瓜也）。

洪兄最令人钦佩的也就在这里。作为电影编剧的洪哥也是有身份的人了，退休算得上是功成名就。可他又不断地“与时俱进”，五十九岁学电脑，六十三岁练开车，六十七岁上网下围棋，还取了些俏皮的昵名。想想，他也是奔古稀的人了，能这样放下架子，与网络上的这帮大小爷们、姐们打得火热，融成一片，真是难得。

阿洪自号梦中棋痴、黑白顽主，他将写上网下棋、嬉戏的那一章称作是《网上放浪老来狂》。如果说围棋为阿洪提供了一生的快乐，网络则更是让这种快乐插上了翅膀。“纵横黑白天地界，游来戏去四海家”，是他的自许，也正成了其网络生存的写照。

看洪哥在灯笼的签名档，一个幼龄孩童，光着身子，端坐在棋盘前……便会想起“返老还童”，想起老子的“能婴儿乎”，想起曾与我同在一个学院的诗人、翻译家沈宝基先生在八十四岁时写下的诗《第五季》：

往年的春夏秋冬
成了他现在的第五季
……
荷花开了在冬天
腊月听蝉鸣
梅花开了在夏天
六月雪花飞

这正是人生的一种境界。当人生经历了一段长长的旅程，春夏秋冬，花开花落，风风雨雨，歌与狂，笑与泪，都随着岁月远去了。“回首向来萧瑟处，也无风雨也无晴”，一切不萦于怀，人生便拥有了最大的自由。髫龄之童，游戏黑白，随心所欲，逾矩何妨？从阿洪那不时闪现的童心中，也就让人感到了些许禅意。

有了这一份心态，这一种境界，感觉洪哥仿佛永远生活在这种自由嬉戏的快乐中，也让人经常忘却了他的年纪。有一次，突然收到他的一封电子邮件：

> 仙子：
>
> 近来我对灯笼的事情虽然还在办着，但远不如以往的专注。原因是生活中连续冲来许多伤感。几位好友相继辞世，家人中又抱病连连。于是特别体验了像我这样年龄段的人所必经的心路历程。对生老病死，我向来看得很开，无论是对自己还是对旁人。但真的事到临头，却难以泰然处之。不细说了。之所以提起，是因为我感到自己在网上网下都疏慢了与朋友的交往，于心不忍，便想交代一下。呵呵。

看着这封信，竟有些异样的感觉。后来要出散文集《棋行天下》，请洪哥写篇序，他谈到，春节几次发高烧，以致写的序也是断断续续。我感动之余，又想到，阿洪毕竟是上年纪的人了，保养身体最重要，在网上下棋熬夜最耗身体，想劝他注意一点，便发了个帖子，当然还是那种没正经的口吻：

> 阿洪经常熬夜，老伴不干了，说以后再这样，就要打屁屁。所以各位灯友，以后与阿洪下棋时，不可超过晚上十二点。特别是各位妹妹，花痴阿洪时，要注意时间和分寸……

不知这“劝说”有没有用。这以后，阿洪又为他的个人网页忙乎得不亦乐乎。后来，网页终于弄成，邀请我们去做客。我们也就乐得不时上洪哥的网上之“家”，去讨一壶酒喝了。

原载《游戏黑白》，洪洲著，中国电影出版社，2006 年

厕上围棋文丛

欧阳修说读书是在“三上”：马上、厕上、枕上。这里单说厕上。每个人，每天都会有那么一小段时光是在厕上度过的。腥秽之地，时光难熬，如果此时有一卷书在手，书香袅袅，其臭如兰，那难熬的时光岂不变得轻松起来，有了烂柯之趣。可惜没有出版机构肯放下身价，有意识地为人的下半身需要提供一点精神的满足。

由此想到一件事，有一次，将自己的散文集《棋行天下》送给一位棋友，他后来告诉我，我的书在他们家享受了最高待遇：放在厕所里，每天如厕时读一篇。我说荣幸荣幸。然后，我们闲扯，说如果编一套“厕上文丛”，专供人如厕时阅读，文章以有趣为本，五分钟可读完一篇，书也小巧，便于携带，这书肯定畅销。

不光是书，也包括杂志。我们家厕所里，经常放过的杂志，有三种：《读书》《读者》《围棋天地》。《读书》内容比较严肃，本不适合在厕上阅读，但因为小开本，便于携带、放置、翻阅，也就有幸占据一厕之地。《读者》是文摘类杂志，每篇文章篇幅短小，有点内涵且比较有趣，正好适合厕上阅读，几分钟可读完一篇，读过还有点念想。《围棋天地》呢，我把它定位为“枕上之书”，也就是说，适合睡前，坐在床上阅读。时间可长可短，内容呢，有严肃的，有轻松一点的，可学艺、可解惑、可消遣，也可催眠。至于厕上，当没有其他合适的书时，《围棋天地》也是一个选择。那里的专栏文章的篇幅、趣味正方便厕上阅读（吾那些大块头的文章，便更适合讲坛上的传道与枕上的催眠），那些技术讲座、计算与感觉的训练也正适合在厕上做做脑体操。华老最近就在大力宣扬一种理念：生命在于脑运动。

不过，真要按照厕上书刊的标准来衡量，我们的围棋报刊便有种种可改进之处。比如开本要缩小，文章的内容要更讲求趣味，篇幅也以短小为宜。那些超大篇幅的棋评以截取精彩片段为佳。业余围棋对局呢，全局谱没资格上杂志，但每个棋迷都可能有让他印象最深刻的一手棋，或妙着、或缓手、或失着、或复盘时被指出的正确的一手……相信广大棋迷读起来，会更有同感、共鸣，也更有启发意义。还有，如今网上和各种出版物上有趣的围棋文章多多，大家又没有时间、精力一一浏览，是否也可以有一个《文摘》栏，一册在手，天下好文尽入吾“厕”中，岂不妙哉！《读者》的成功，就是一个范例。

在我的心目中，一向把各类图书或杂志分为四类，第一类是那些像金砖一般的装帧精美、价格昂贵的图书或杂志，那是用来馈赠，供成功人士在书房、办公室摆放，显示其身份、地位，而不是用来阅读的。我手头就有一本给“总裁”们“摆读”的杂志，那份量、那厚度、那高贵精致，嗨，甭提了。第二类是各种思想、学术著作，杂志，那是要在书桌旁，洗手、净心，恭恭敬敬、耗尽脑力阅读的。第三类是枕上之书，放在枕边、床头柜上，供你睡前阅读，伴你入眠。每个时代，每个读书人，都会有自己的伴枕之书。就像伴枕之人，枕边书一定是让你比较入心的。你也没有必要，为了装门面，把高头讲章放在床头，除非想让它为你催眠。第四类，就是如厕之书了。从阅读趣味的角度说，它比伴枕书要求更能贴近大众（成为大众情人其实比做一个人的情人更难）。它不需要外表的美丽、高雅、华贵（谁会忍心让华贵栖身如此之“陋”室呢，俺们家的《围棋天地》在厕上待久了，往往只能被弃置，另外再去请一套合订本供收藏、爱慕、瞻仰），天然去雕饰，却能一下子抓住人的心，“开窗见山色，闭门闻书香”，妙哉！

然后就想，办杂志是否也可以分门别类，满足不同的需求。比如围棋杂志，既可以有豪华型、学术型，也可以有伴枕型、如厕型。可以一家办，也可以多家办，百花争宠。而像如厕型，如嫌约稿麻烦，又要价廉物美，索性就弄一个《围棋文摘》好了。真要有那么一天，大家关注的焦点不再是几个冠军，围棋就真正的繁荣了。

可惜，现在真正适合如厕阅读的围棋书刊，特别是围棋文化类读物，实在是太少了。除了《围棋天地》，手上的围棋书，充当过如厕之书的，有不知名的作者编辑油印的《死活题》，还有就是二十世纪八十年代中国大学生围棋协会编译、国际文化出版公司出版的一套丛书“下一手”，还有蜀蓉棋艺出版社的一套“围棋教室”，两套书都是小开本、口袋书。“下一手”以实战棋局为例分专题讲授布局、手筋、中盘作战、让子棋的战斗等，“围棋教室”则每本以专业棋手的一局棋为例，讲“实战中的活知识”“专业棋手的感觉”“急所的总结”“棋的全局观”“空和厚味的判断”等等。还有就是当年《棋艺》杂志随杂志奉送的“非卖品”，每一小册介绍中外一位著名棋手的棋与人生。就是这些书伴我度过了几十年如厕因快乐而不再“难熬”的时光。而这些口袋书，其实也很适合充当欧阳修所说的“马上”之书，在旅途中，一册在手，寂寞的时光也就有了陪伴。

但那些书多是围棋技术普及，围棋文化类读物少之又少。特别是有资格跻身“厕上”的更是一个空白。曾经想编一套“悦读围棋”，收罗古今中外有趣且短小的围棋文章，作为“厕上文丛”之一向社会推广（吾们刚编好的《中国历代棋论选》，作为国家社科基金项目《中国围棋思想史研究》成果之一，号称有填补空白的意义，但那只能作为“桌上”之讲章）。目录都编得差不多了，一家出版社也接受了，但条件是编者要包销一部分。但一想，这纯粹是为造福广大棋迷与社会大众的书，费心费力，为人民服务，却要自产自销，总不至于每天如厕时都换一本新书；或向朋友推荐“如厕读书新理念，一册在手，从此无需卫生纸”；或者在网上打一广告“想要幸福快乐地‘如厕’吗？请读何云波教授主编的“悦读围棋””……脸面有点挂不住，只好就此作罢！

后来又有一家出版社对“悦读围棋”感兴趣。可是一旦谈到实施细节，比如所选文章的作者，出版社都要一一跟他们联系，取得书面授权。太麻烦了。罢，罢，罢，不“悦”也罢。

以上是“戏”说，围棋出版工作者们不必当真。不过，真有那么点厕上服务意识，对办好一份杂志、一张报纸以及出版读者喜闻乐见的图书未尝没有一点好处。因为它代表的是全心全意、从头到脚为读者着想的一种意识与策略。扪心自问，“悦读围棋”，“悦”字当头，我们做到了吗？

博尔赫斯的中国想象与围棋

阿根廷作家博尔赫斯 (1899—1986) 一生经历平淡，却写出了一系列被称为“奇幻体”的小说。他的诗，亦充满了玄想色彩，充满对这个神秘的世界、宇宙的好奇之心。作家早年曾在一家市立图书馆供职，五十六岁被任命为国立图书馆馆长。做一个“书籍保管人”，终日与书籍打交道，“这里有高高的书架/近在咫尺而又远在天际/像星辰一样隐秘而又可见/这里有花园、庙宇”（《书籍保管人》）。图书馆本身就是一个无限丰富的世界，就像《通天塔图书馆》中所描述的，它由无限多的六面体回廊构成，周而复始，没有穷尽，无限延续，激起人无穷的想象。

博尔赫斯的小说、诗，在某种意义上就是作家沉溺于书中世界的幻想、冥思的产物。博尔赫斯没有到过中国，但中国作为神秘东方的代表，使他悠然神往。中国的长城、历史、易经、八卦、铜境、花园……都让他浮想联翩。他还写过一首题为《围棋》[①]的诗：

今天，一九七八年九月九日，
我的掌心攥着一颗小小的圆子，
这样的圆子共有三百六十一颗，
是一种东方的弈术所必需，
那如同摆布星宿的游戏叫围棋。

①《博尔赫斯全集・诗歌卷（下）》，林之木译，浙江文艺出版社，第 299 页

那是一种比最古老的文字还要古老的发明，
棋盘就好像宇宙的图形，
黑白交错的变幻，
足以耗尽千秋生命。
人们可以对之痴迷，
就好像坠入爱河与欢情。
今天，一九七八年九月九日，
我本来就对好多事物无知无识，
这会儿再次感到困惑，
我要感谢诸路神祇，
他们让我得见这处迷宫，
尽管我永远都不能探知其中的奥秘。

在博尔赫斯的中国想象中，围棋是其中一个重要组成部分。没有证据表明博尔赫斯会下围棋，但不会下并不影响博尔赫斯对这种黑白游戏的浓厚兴趣，就像博尔赫斯没有到过中国，却充满关于中国的奇思妙想。围棋亦然。有的时候，棋外之人，反而可能超越具体的法则，而想棋人之所难“想”、不“想”。在博尔赫斯关于围棋的想象中，首先是它的“古老”，比文字还古老。文字被看作是人类文明的标志。《圣经》中写上帝让亚当为万物命名。命名就是赋予万物一种名称、意义，使世界由混沌之初的朦胧走向逻辑的明晰。中国古人说，“昔者仓颉作书而天雨粟、鬼夜哭”（《淮南子·本经训》）。唐代张彦远在《历代名画记》中解释，仓颉作书使“造化不能藏其秘”，故“天雨粟”；使“灵怪不能遁其形”，故“鬼夜哭”。仓颉是黄帝史官，仓颉造字当然是传说。文字经历了从结绳、八卦、图画等的演变，然后在公元前 14 至公元前 11 世纪的商代产生了甲骨文。博尔赫斯把书籍看作是“人类记忆和想象的延伸”（《书籍》），“按照马拉美的说法，世界为一本书而存在；布瓦洛却说，我们是一部神奇的书中的章节字句，那部永不结束的书就是世上唯一的东西：说得确切一些，就是世界”（《论书籍崇拜》）。因为有文字记载的书籍，世界有了另外的存在方式，文字也是一个世界。

然而，在正式的文字产生之前，人类却是以另一种方式展开与天地宇宙的对话。博尔赫斯把围棋看作是一种“摆布星宿的游戏”，他认为“棋盘就好像宇宙的图形”。棋盘就是宇宙，黑白子就如同天上的星宿，在盘上摆出万千种图形、变化。这倒是与中国古人不谋而合。中国古人就把围棋称作“星阵”。班固《弈旨》中把围棋与“天地之象”联系在一起，“局必方正，象地则也。道必正直，神明德也。棋有白黑，阴阳分也。骈罗列布，效天文也。”今人吴清源亦认为，围棋的起源应与八卦占卜有关。

在博尔赫斯的想象中，围棋、易经、八卦应该都是相通的，都典型代表了中国文化的古老与神秘。博尔赫斯在《论古典》一文中说到，他是通过翟理斯的《中国文学史》（1901）了解了世上有《易经》这样一本书的存在，《易经》叙述了六十四卦，相传是一位远古的皇帝在神龟的背壳上发现了这些符号。莱布尼茨认为那些六线型符号是一种二进制计数方法，还有人认为是神秘哲学，或者是预测未来的工具，甚至是某种部落语言，或者就是历法……在博尔赫斯眼中，《易经》作为“地地道道的中国神话”，乃是中国乃至世界的最高智慧的象征。他在诗歌《东方》中写道：

我知道有一本神奇的书，
用六道虚实的线条组成六十四爻，
占卜我们清醒和睡梦的命运。
多么奇妙的消磨时间的创造！

在博尔赫斯心中，围棋是通过象征“宇宙图形”的棋盘来再现“黑白交错的变幻”，让人哪怕“耗尽千秋生命”亦不能穷尽其奥秘。而《易经》的魅力在于用六十四卦的神秘变化包容宇宙的一切，其变化亦无穷无尽。显然，这是在文字产生之前，人类与神、与宇宙、世界沟通的另一种方式。正像《易经·系辞》

中说："古者庖牺氏之王天下也，仰则观象于天，俯则观法于地，观鸟兽之文，与地之宜，近取诸身，远取诸物，于是始作八卦，以通神明之德，以类万物之情。"

八卦也就成了文字之祖。那么围棋呢？博尔赫斯说，他本来就对好多事物"无知无识"，面对围棋就像进入"迷宫"，再一次让他感到困惑，并且他永远都不能探知其中的奥秘。

博尔赫斯把围棋比作"迷宫"。"迷宫"是博尔赫斯诗文中的一个重要意象。"迷宫"的故事原型来自希腊神话。说从前米诺斯王统治着克里特岛。有一年，他没有给海神波塞冬送去允诺的祭物公牛，海神生气之下，决意报复。他附体在公牛身上，勾引了米诺斯王的妻子帕西法厄王后。不久，王后生下一个牛首人身的怪物米诺陶洛斯。为了把怪物藏起来避免家丑外扬，米诺斯王命令岛上最优秀的工匠代达罗斯造了一座迷宫：一所稀奇古怪的地下房子，顺着走廊越走离亮处越远，根本找不到出口。发狂的米诺陶洛斯在一堵堵墙壁之间徘徊游荡，左突右冲，以雅典王进贡的童男童女充饥。终于有一天，雅典王子忒修斯带着宝剑闯入迷宫。他一路留下米诺斯王的女儿阿里阿德涅送给他的线团的线，杀死了牛头怪物米诺陶洛斯，又沿着这根线找到出口，活着离开迷宫。

而在博尔赫斯的小说中，"迷宫"又往往与神秘的东方联系在一起，被赋予了另外的意义。博尔赫斯的小说《小径分岔的花园》中写了一个叫余准的中国人，在一战时作为德国人的间谍，他需要在英国通知德方轰炸一个叫"艾伯特"的城市。通过枪杀斯蒂芬·艾伯特教授，让报纸报道此事，以此把情报"送"了出去。但故事的核心是艾伯特在研究余准祖先的过程中所发现的"迷宫"的秘密。余准的祖先是云南总督，他辞去了高官厚禄，一心想写一部比《红楼梦》人物更多的小说，还有就是建造一个谁都走不出来的迷宫。他在这些庞杂的工作上花了十三年工夫，但是一个外来的人刺杀了他，他的小说像部天书，他的迷宫也无人发现。在余准的想象中：

> 我在英国的树下思索着那个失落的迷宫：我想象它在一个秘密的山峰上原封未动，被稻田埋没或者淹在水下，我想象它广阔无比，不

仅是一些八角凉亭和通幽曲径，而是由河川、省份和王国组成……我想象出一个由迷宫组成的迷宫，一个错综复杂、生生不息的迷宫，包罗过去和将来，在某种意义上甚至牵涉到别的星球。

楼阁、曲折小径、凉亭、中国音乐、月白色鼓形灯笼，构成了现实性的迷宫。而艾伯特则认为，所谓“迷宫”，其实是余准的祖先那部没有完成的小说：

在所有的虚构小说中，每逢一个人面临几个不同的选择时，总是选择一种可能，排除其他；在余准的祖先的错综复杂的小说中，主人公却选择了所有的可能性。这一来，就产生了许多不同的后世，许多不同的时间，衍生不已，枝叶纷披。小说的矛盾就由此而起。

“小径分岔的花园”原来就是那部杂乱无章的小说。当一部小说试图包含所有的可能性，它也就无穷无尽，永远无法完成了。

迷宫——花园成了博尔赫斯所理解的中国和中国文化的象征，它充满了各种未知的可能。

永远找不到门。你在里面，
城堡包罗着整个宇宙，
既无正面，也无反面
没有外墙，也没有秘密的中心。

——《迷宫》

这使我们想起围棋。围棋也被博尔赫斯比作“迷宫”。在棋盘上，所有的无限变化都是从简单的黑白二子开始。而其中的繁杂交错，变幻莫测，对于终点的不确定，更像是一片神秘复杂的迷宫，吸引人去一探究竟。在那“小径分岔的花园”里，每一个交叉路口都存在着各种可能性。同样，对下棋者来说，每一步棋都面临着选择，在各种可能性中选择其中的一种。什么才是最善的选择，什么是通向胜利的最佳途径？这就像阿里阿德涅线团的线，忒修斯沿着这根线找到了出口。而对棋手来说，哪怕一盘棋赢了，未必就是因为找到了那根“线”。这就是为什么完了还要复盘，还要继续寻求最佳的选择。而如果棋手下棋时试图像余准祖先的小说，主人公选择了所有的可能性，那棋局从第一手开始，就存在了衍生出另外棋局的可能。“我如果不这样下，而是那样下……”常常听棋手复盘时这样说，而如果他们在下棋时想把每一种可能都演示、验证一下，这棋，就像那“小径分岔的花园”，不断地分出新的岔路，永远没有穷尽。一盘棋一辈子乃至子子孙孙下下去，也下不完了。

在《小径分岔的花园》中，余准祖先的小说被看作是“一座时间的无形迷宫”，他的谜底就是“时间”。无限的时空“接近、分岔、相交或长期不相干的网，它包含全部的可能性”。在博尔赫斯的心目中，围棋何尝不是这样一个“象征的迷宫”。棋盘就是宇宙，每个人就是棋子，每个棋子都在选择他人生的一种可能，人类由此生生不息，循环往复，永恒轮回。博尔赫斯说，在帕斯卡看来，“大自然是一个无限的圆球，其圆心无处不在，而圆周则不在任何地方”（《帕斯卡圆球》）。而对围棋来说，边界已经划定，变化却无穷尽。

《围棋》一诗，可以说充分显示了博尔赫斯对中国古老文化的浓厚兴趣，对其蕴涵的无穷智慧和哲理的由衷赞叹，对其神秘魅力的心向神往。同时，博尔赫斯也借此再一次地表明了他自己的宇宙观。在《小径分岔的花园》中，斯蒂芬·艾伯特对主人公说：“有一个谜语，它的谜底是棋；在这个谜语中，禁止使用哪个字？”主人公想了想，回答：“就是棋这个字。”

当然，在东西方文化传统中，不同的棋，可能也有着不同的蕴涵。博尔赫斯还写过两首关于国际象棋的诗，题目就是《棋》[①]。其中一首写道：

王柔弱，相持重，后则暴戾凶残，

①《博尔赫斯全集·诗歌卷（上）》，林之木译，浙江文艺出版社，第156页

车直来直往，卒子狡诈而机警，
缘着那黑白交织的阡陌道路，
寻找战机，进行着殊死的抗争。
棋子们并不知道其实是棋手，
伸舒手臂主宰着自己的命运，
棋子们并不知道严苛的规则，
在约束着自己的意志和退进。

黑夜与白天组成另一张棋盘，
牢牢地将棋手囚禁在了中间，
（这可是欧玛尔所做出的论断）。

上帝操纵棋手，棋手摆布棋子。
上帝背后，又有哪位神祇设下，
尘埃、时光、梦境和苦痛的羁绊？

人们常常以抽象与具象来概括围棋与象棋（中国象棋、国际象棋）。博尔赫斯写围棋与象棋，显然也是循着这一思路。在博尔赫斯笔下，围棋棋盘本身就是宇宙的图形，黑白交错，生出无限的变化。而在象棋中，每一个子都代表着不同的身份，它们在棋盘上进行着殊死的抗争。在博尔赫斯笔下，两种棋也就由此有了分别。

当然，对博尔赫斯来说，棋又不仅仅是棋而已。博尔赫斯由象棋上想到的是人生、宇宙大棋局。棋手下棋布子，演绎了棋局。进一步说，棋手也不过是黑夜与白天组成的另一张棋盘上的棋子，被上帝所操纵。那么，上帝背后又是谁在设置棋局？

棋亦棋，棋非棋，博尔赫斯写棋，似乎永远是在似与不似之间。就像博尔赫斯笔下的中国花园、长城、八卦、围棋……似真似幻，似写实似虚构，很难用真实与否来衡量。博尔赫斯描写的是一个想象的异托邦，其中国文化想象最核心的要素就是神秘。就像博尔赫斯评《聊斋志异》：“这是梦幻的王国，或者更确切地说，是梦魇的画廊和迷宫。死者复活；拜访我们的陌生人顷刻间变成一只老虎；颇为可爱的姑娘竟是一张青面魔鬼的画皮。一架梯子在天空消失，另一架在井中沉没，因为那里是刽子手、可恶的法官以及师爷们的居室。”当博尔赫斯把围棋也当作一个神秘的“迷宫”，我们也很难用真实、合理与否来评判了。

我们经常说，任何事物的意义都不是天生的，而是被建构起来的。围棋的意义也是不断被后人赋予的。特别是来自他者的“异”的眼光，往往可以提供“熟视”者所难“睹”的一些东西。博尔赫斯之“想象”围棋、“想象”中国，其意义也就在这里。

博尔赫斯眼中的中国，是卦象、铜镜、浩繁的册卷和曲水流觞的园林的故乡，“这里有花园，庙宇”，当然还有围棋。“这就是我的东方。是我的花园，对你的回忆使我透不过气”（《东方》）。晚年的博尔赫斯对这个遥远的东方国度更是充满了深切的眷念，博尔赫斯多次表示“不去访问中国，我死不瞑目”，“长城我一定要去。我看不见，但是我感受得到。我要用手抚摸那些宏伟的砖石”。遗憾的是，博尔赫斯这一夙愿最终也未能实现。而令我好奇的是，博尔赫斯如果真的来了中国，他又会怎么描写中国。如果他真的看到了中国人怎么下围棋，甚至自己也学会了下棋，这种棋戏又会在他笔下呈现出怎样的模样？

想想，就够有趣的了。

原载《围棋天地》2011 年第 24 期

武侠与围棋

侠，作为中国古代的一个独具特色的阶层，在春秋战国时即已存在。韩非子《五蠹》谓：“儒以文乱法，侠以武犯禁。”此后，游侠一直扮演着扶危济困、行侠仗义的角色，在历史上留下他们的足迹。反映侠客行状的小说自也大为风行。西汉司马迁《史记》即专为游侠作传，唐代豪侠小说甚至成了一种独立的小说样式。清代侠义小说更是蔚为大观。不过，这些小说，除唐代杜光庭《虬髯客传》写到围棋，其余大多与围棋这一文雅之事不大沾边。而金庸、梁羽生的新派武侠小说则多次写到围棋，这自然跟他们两位都是棋迷有关，但更为深层的原因恐怕则在于，与旧派武侠小说相比，新派武侠小说更注重其文化品位。儒家伦理、庄禅境界、琴棋书画、梅兰竹菊，使一向“武”有余“文”不足的武侠小说具有了浓厚的文化意味。围棋，自然也就在其中占有了一席之地。这里我们仅以金庸为例，来看看武侠与围棋是如何结缘的。

一

金庸武侠小说多次写到围棋，但最耐人寻味的恐怕还数《天龙八部》中虚竹破解珍珑棋局一节。

却说逍遥派掌门被逆徒丁春秋暗算，推下悬崖，幸喜保得生命，隐居于洞中，苦心布下珍珑棋局，希望有慧缘之人能破解棋局，将毕生功力和衣钵传之，以诛除叛逆。一晃三十年已经过去，大弟子苏星河装聋作哑，苦思棋局，一无所成，能破解棋局之人也始终未出现。时不我待，苏星河只好广下帖子，遍邀天下英雄，一时山中高手云集。段誉、慕容复、段延庆纷纷上阵，均无功而返。段延庆在苦思棋局、心神不宁之际，被丁春秋施以摄魂之术，差点儿自尽。虚竹本对围棋一窍不通，为救段延庆，想搅乱棋局，闭着眼睛，投下一白子，正好自紧一气，一队白棋就此自杀身亡，这一匪夷所思之着，引来众多哂笑。不曾想，正是因为白棋这一自杀之手，棋局反而有了回旋余地。此后，段延庆以腹语传音之法，指点虚竹，一着一着下来，最后白棋柳暗花明，胜了黑棋。

这段描写，纯粹从棋上说，颇多破绽。虚竹在只有一口气的一队白棋中自投一子，即便古代规则允许虚竹的下一手是在这块棋中再点一手，但棋是一人轮流走一手的，既然这一“点”重要，黑棋自然会先补一手。即使在其他地方走一手，白棋点进来时，黑棋不应，但它的“气”已经比白棋“自杀”之前长了，没有反而不好的道理。而白棋因此不再“缚手缚脚，顾此失彼”，恐怕只是写作者的一厢情愿了。不过，我们不能这样去读武侠。正像武侠小说中的武功，一定要以常理论之，就难免失之迂执了。“珍珑棋局”一节，令我们感兴趣的，不仅在棋道，更在于其中所包含的人生与文化的妙味。

小说中有一段点出段誉、慕容复、段延庆失败的原因：段誉之败，在于爱心太重，不肯弃子；慕容复之失，由于执着权势。鸠摩智嘲笑他：“你连我在边角上的纠缠也摆脱不了，还想逐鹿中原么？”这句话触动慕容复心事，差点自杀。段延庆贵为皇子，却只能剑走偏锋，身入魔道，于这“似正非正，似邪非邪”的棋局，也是一筹莫展。虚竹之“成功”，在于于这棋局的胜负并不挂怀。比武、下棋均以胜负论英雄，“倘若在比武、下棋之时能无胜败心，那便近道了”。佛经有云：“胜者生怨，负者自鄙。去胜负心，无诤自安。”佛教认为人生的烦恼与痛苦皆源于一个“执”字，若能破“执”，人生，便将进入一个自由之境。正如少林玄难大师所言：“这局棋本来纠缠于得失胜败之中，以致无可破解，虚竹这一着不着意于生死，更不着意于胜败，反而勘破了生死，得到解脱。”

虚竹之“成功”，还在于他的“笨”。众多好手，竭尽心力，摆出各种变化，机巧用尽，均无功而返。虚竹无意间投下一子，先挤死自己一大块，以后的妙着反而源源而生。“任你是如何超妙入神的高手，也绝不会想到这一条路上去。任何人所想的总是如何脱困求生，从来没人往死路上去想。若不是虚竹闭上眼睛、随手瞎摆而下出这着大笨棋来，只怕再过一千年，这个‘珍珑’也没人解得开。”金庸小说中的主人公，不少以“笨”闻名，如虚竹、郭靖，因为种种因缘而成为一代武学大师。也许，在“聪明”与“愚笨”之间，便包含了一种中国传统的辩证法。《棋经十三篇》将棋手等级分为九品：入神、坐照、具体、通幽、用智、小巧、斗力、若愚、守拙。入神最高，守拙最低，这自然符合一般常理。但破解棋局的偏偏是虚竹这等“守拙”之人。老子曰：“大智若愚、大巧若拙。”有时，聪明反被聪明误，“愚笨”中反而有一种大智慧。就像绝顶“聪明”的马晓春，碰到李昌镐这等“若愚”之人，常常无功而返一般。

虚竹无心于棋，反而破解了棋局；无心于天下武功第一和掌门之类的“名”与“利”，却无意中得到了逍遥派“北冥神功”和掌门之位，这正所谓有心栽花花不发，无心插柳柳成荫。也许，世间的许多事情，本来就是如此，“输赢成败，又争由人算”。而虚竹这一“得”，究竟是祸是福，同样难以预料。武功高强未必是福，而世间不会半分武功之人，反而可无忧无虑，少却许多争竞与烦恼。人生中的许多事情，谁能说得清呢?

珍珑者，围棋之难题也，金庸在这里何尝不同时是出了一道人生的难题。谁能破解，就看你的慧根与造化了。

二

金庸武侠小说往往由三个基本要素构成：书、剑、情。情者，儿女情长也，所谓“问世间情为何物，直教生死相许”；剑者，武功与侠义也；书，即指弥漫于小说中的浓浓的文化气息。情与围棋关系不大，后两者则大有关联。

先说武，武侠小说的魅力正在于通过身负绝艺之人“杀尽仇寇，败尽英雄”，展示生命的野性之美、力量之美。当然，这种以武功定高下的最原始的生死搏斗，是以行侠仗义、除暴安良为幌子展现出来的，所谓“欲除天下不平事，方显人间大丈夫”。围棋，从本质上说也是一种你死我活的战斗，在围剿与反围剿中争取生存的权利，只不过它把这种生死之争游戏化了。武侠与围棋，都是一种为征服他人而展开的力与智的较量。且看《天龙八部》中黄眉僧与段延庆斗棋斗力的一段描写：

> 话说段正淳之子，当今大理皇上之侄段誉被与段氏家族深有渊源的段延庆劫持，囚于万劫谷中，保定帝请“拈花寺”黄眉大师前往救人。黄眉大师约与段延庆斗棋，双方各以上乘内力在一块大青石上划上纵横十九道格子，就此展开争斗，黄眉僧在猜先时，以砍下一脚趾的代价换得执白先行。两人一个用小铁锥在石上刻下小圈以示白子，一个用铁杖按上凹印以示黑子。一来二去，黄眉僧棋力稍逊，段誉有心相助，通过黄眉僧的弟子暗中递着，被段延庆所察，铁杖点去，与黄眉僧手指相碰，“这样一来，两人左手比拼内力，固是丝毫松懈不得，而棋局上步步紧逼，亦是处处针锋相对”。

武学之士修习内功，讲究绝无杂念，返照空明，物我两忘，下棋却须精确计算，锱铢必较，着着争先。黄眉僧“禅定功夫虽深，棋力却不如对方，潜运内力抗敌，便疏忽了棋局，要是凝神想棋，内力比拼却又处了下风”。危急之际，段誉搅局，使段延庆铁杖偏离该下的路数，自己填塞一只眼。身为四大恶人之首的段延庆不禁长叹：“棋差一着，满盘皆输，这当真是天意吗？”

将斗棋与比拼武功如此完美地结合在一起，应该算得上是金庸的一大发明了。黄眉僧棋力与武功均稍逊，却最终取得了胜利，这便是因缘，或曰天意，就像毫不懂棋的虚竹反而破解了珍珑棋局一般。看来，武功或棋力，在胜负拼争中固然重要，但还有一些东西，是斗力所无法获得的。

梁羽生在一篇化名文章《金庸梁羽生合论》中曾说：“我以为在武侠小说中，‘侠’比‘武’应该更为重要。‘侠’是灵魂，‘武’是躯壳，‘侠’是目的，‘武’是达成‘侠’手段。与其有‘武’无‘侠’，毋宁有‘侠’无‘武’。”

在段延庆与黄眉僧的“棋争”中，段纯粹是出于个人私欲，黄是为民请命，“黄眉僧五年前为大理通国百姓请命，求保定帝免了盐税，保定帝直到此时方允，双方心照不宣，那是务必替他救出段誉”，黄眉僧由此下决心以死相争。得道者多助，正是这种侠义精神，最终影响了这局“棋”的胜负。

于是，棋道、武道、侠义道，也就取得了沟通。

三

金庸小说，纯粹从武功打斗的角度来看，未必胜过古龙。但其浓厚的文化气息却是古龙小说所不及的。

武侠小说，在江湖豪杰的打打杀杀、快意恩仇中，总难免带有过多的杀气、戾气，如何化解、冲淡一些？在金庸笔下，一靠爱情，于儿女情长中，“盈盈一笑，尽把恩仇了”；二靠佛法，于寺院道观、古刹钟声中，透出一股悲悯、舒缓之气，“是非恩怨转成空，青山依旧在，几度夕阳红”；其三，付与武道中人一份书卷气，使他们不仅仅是只会武功的粗人，同时也具有一些儒士风范。在这侠客名士化的过程中，琴棋书画自然融入到武侠中，发挥着重要的作用。《射雕英雄传》写黄药师琴棋书画、五行八卦、奇门遁甲无所不通。《碧血剑》中的木桑道长爱棋成痴，以磁铁棋盘为兵器，以棋子为暗器，人称“百劫千变”。当然，最典型的，莫过于《笑傲江湖》中对“江南四友”的描写了。

话说日月神教左使向问天为救前任教主任我行，与令狐冲化装成五岳剑派弟子，来到囚禁任我行的梅庄。居住在此的“江南四友”黄钟公、黑白子、秃笔翁、丹青生，分别痴情于琴、棋、书、画，向问天投其所好，携带之物分别是失散已久的《广陵散》琴谱、刘仲甫《呕血谱》等古今名局、唐朝张旭《率意帖》、北宋张中立《溪山行旅图》真迹，引得“四友”心痒难熬。向问天与“四友”约定，由化名“风二中”的令狐冲与之比剑，“四友”若胜，四样宝物便送给他们。结果“四友”均败，心有不甘之下，欲请出被囚于西湖湖底地下室里的任我行，结果导致任我行逃出，向问天处心积虑的谋划终于成功。

这一节中，对“江南四友”痴迷于琴、棋、书、画的描写极为传神。如写棋痴黑白子，“头发极黑而皮肤极白，果然是黑白分明”。他的棋室，“只见好大一间房中，除了一张石几、两只软椅之外，空荡荡的一无所有，石几上刻着纵横十九道棋路，对放着一盒黑子、一盒白子。这棋室中除了几张椅子之外不设一物，当是免得对局者分心”。在向问天摆《呕血谱》时，面对棋盘上的激烈缠斗，可以“玄天指”化水成冰，内功修为已达极高境界的黑白子，竟瞧得满头大汗，此所谓爱棋成痴，关心则乱。

接下来，小说别出心裁地将琴、棋、书、画融入到武功较量中。秃笔翁拈一支判官笔，每一套“笔法”均从名家书帖中变化而来；黄钟公轻拨瑶琴，令狐冲以箫作剑，双方仿佛在合作演奏一曲音乐；黑白子以一块铁铸的棋枰作兵刃，招式与棋理相通。令狐冲连攻几剑后，黑白子心想“再不反击，如何争先”，一招“大飞”，守中带攻，只要对方应着，后着便源源不断，哪知令狐冲长剑斜挑，和他抢攻，四十余招绵绵不绝，一气呵成，黑白子“心下越来越惊，只想变招还击，但棋枰甫动，对方剑尖便指向自己露出的破绽，四十余招之中，自己连半手也缓不出来反击，便如是和一个比自己棋力远为高明之人对局，对方连下四十余着，自己每一着都是非应不可”。不得已，只好棋走险着，以手指夹对方长剑，棋枰往对手腰间砸去，不想对手忽然变招，千钧一发之际，“心思敏捷，又善于弈理”的黑白子将棋枰顿住不动，对手长剑也就不再进击，两人相对僵持，向问天笑道：“此亦不敢先，彼亦不敢先，这在棋理之中，乃是‘双活’。”

琴声、画境、书意、棋势，与武功如此融合无间，紧张的对峙中也就多了几分舒缓之气，杀伐中有了一些诗情画意。一张一弛，动静相宜，亦文亦武，雅俗共赏，正是金庸小说所追求的一种境界。

四

武侠小说中，爱棋成痴者，往往兵器也换作了棋盘棋子，如《碧血剑》中的木桑道长，《笑傲江湖》中的黑白子，《天龙八部》中的函谷八友之一范百龄。

说到兵器，武侠小说便颇有些讲究。侠客一般都配剑，而那些魔道、邪道中人，兵器也往往奇形怪状、五花八门，伦理意义上的正与邪，在兵器上便有了分别。其实从实用的角度说，剑这种短兵器，威猛不如大刀，远击不如长枪，实战意义并不大，但从审美的角度说，佩剑、使剑又是最好看的。行侠仗义，浪迹天涯，侠客背上大刀、长矛乃至李逵似的板斧，总不如“书剑飘零”来得优雅。从这个角度来说，棋盘棋子作为“兵刃”，与剑一样，突出的不是打斗，而是其文化与审美意义。棋盘棋子的作用首先在以棋会友，用于打斗，更多不在攻击，而在防身而已。身负棋盘远游，其形象更像文士，而非侠客。正像木桑道长，留给读者深刻印象的是他对棋的痴迷，在棋上自吹自擂的可爱，至于他武功究竟如何，读者其实是并不太放在心上的。而《书剑恩仇录》中的红花会总舵主陈家洛，以黑白子作暗器，与他出身名门、温文儒雅的形象也颇为相称。

再说武功的境界，与棋艺的境界也颇有相通之处。《笑傲江湖》中令狐冲被罚在思过崖上面壁，邂逅华山派老前辈风清扬，风清扬给了他一番剑术上的教诲：学剑之人，第一步是学会一招招的招式；第二步便是能活学活使，各招浑成，而不是拘泥不化；第三步是能化有招为无招，把学过的所有招式通通忘记，“要做到出手无招，那才真是踏入了高手的境界，你的剑招使得再浑成，只要有迹可寻，敌人便有隙可乘。但如你根本并无招式，敌人如何来破你的招式”。心无所恃，顺其自然，行于当行，止于当止，武功便进入了出神入化之境。

无心、无我、无招，既代表了剑术的境界，也是一种“庄禅境界”。正如古龙《多情剑客无情剑》中天机老人所言：“真正的武学巅峰，是要能妙参造化，到无环无我，环我两忘，那才真的是无所不至，无坚不摧了！”

围棋大约也可分这么几种境界：第一步，先学会定式、死活、官子各方面的基本招式；第二步，要能使各种招式浑然一体，活学活使，正像定式，既要懂得基本套路，又不能拘泥不化；第三步便是“无招”了。前两步，一般的高手通过努力都能掌握，而能否达“无招”境界，就只能看你的悟性了。这一点，职业棋手可能感触更深，王磊曾在《体坛周报》上撰文《完美棋风求之不得》，谈到这种追求的苦恼：

苦恼的是，不能使自己的棋风完美无缺：若拥有李昌镐后发制人、石佛般的冷静，就会失去曹熏铉柔风快枪、锐利无比的感觉；若拥有藤泽秀行天马行空、华丽流畅的布局，又会失去赵治勋深远精确、坚韧不拔的后半盘；若拥有马晓春轻灵飘逸、神鬼莫测的“妖刀”，则又没了聂老师横刀立马、舍我其谁的气魄！

难道真的没有完美的棋风吗？恐怕也不是这样的。大道无形，或许没有风格才是完美的。就如绝世高手之间比武，出招，必会产生破绽。棋风也与此相似，长于攻击，会疏于防守；喜欢实地，就不愿围模样。只有无所长，才能无所不长。所以要顺应局势、自然而然，该取地时就取地，该攻击时就攻击，不恃力蛮干，不铤而走险，时刻保持局面的均衡。

当今之世，也许李昌镐接近于这类“无招”之境。多少身负绝艺之人，常常在李昌镐这类没有风格、没有绝招的人面前无功而返；多少石破天惊的妙手，被李昌镐的“平淡”之着化解于无形。当然，李昌镐也是人，是人就会有人所固有的弱点，“石佛”也有动“凡心”之时，所以他有时也会下出并不完美的棋局。这就是武功，这就是围棋，你只有不断接近完美的境界，而永远不可能到达，它的魅力也正在于此。试想，如果哪位绝世高手，真要“无心”“无招”之间，见谁灭谁，弄得对手无心恋战，观者了无悬念，那他自己也只好“独孤求败”了。

五

《射雕英雄传》中有一个情节：郭靖和欧阳克来桃花岛求亲，桃花岛主黄药师设了三局比试。第一局比武，由洪七公对欧阳克，欧阳锋对郭靖，在梅花桩上，以谁能接的招多定赢；第二局由黄药师吹箫，郭靖、欧阳克用竹枝合律敲打，看谁打得好；第三局比试背《九阴真经》。结果郭靖傻人有傻福，三局全胜。

这场比试，一试打斗本领，二试内力功夫，三试武学修养。前两者是习武之人的基本功，武学修养则看各人的悟性了，这里便有器与道、用与体之间的差别。当招式与内力达到一定境界后，决定武功高下的就看武学修养了。郭靖与欧阳克背诵的《九阴真经》的“总纲”，起首即是：

> 天之道，损有余而补不足，是故虚胜实，不足胜有余。

“总纲”代表的“武学”理论，乃是对中国古典哲学精神的理论阐析。围棋作为一种“争战之戏”，亦与“武学”相通。中国古代的棋艺理论，脱胎于古典哲学，其中充满了道器、心数、体用、正权等范畴的辩证法。《棋经十三篇》云：“棋者，以正合其势，以权制其敌。”范西屏《桃花泉弈谱·序》中说：“心之为物也，日用则日精。数之为理也，愈变则愈出。以心寓数，亘古无穷也。”施定庵《弈理指归·序》也称：“弈之为道，数叶天垣，理参河洛，阴阳之体用，奇正之经权，无不寓焉。”

“器”“数”“用”“权”，是技艺的运用。“道”“心”“体”“正”等范畴，则既是统驭技艺的理论，又与人的精神修养有关。所谓“形而上者谓之道，形而下者谓之器”。正像侠客，真正的大侠应该是既有高强的武功，又有良好的武学和精神道德修养的人。棋手亦然，当对你围棋技艺的掌握达到一定程度后，决定棋艺高下的便是对棋道的领悟和精神修养了。胡廷楣在《黑白之道——名家围棋访谈录》中，采访中国围棋的领头人陈祖德时曾提出这样一个问题：“一个棋手在棋艺上的超越，最后是在胜负上体现出来；而一个棋手在灵魂上的‘超越’，是否又能在胜负上体现出来呢？”陈回答：

> 这不能绝对说，一个人在精神世界上的提高，应该说对棋有好处，但不能说有绝对的、决定性的作用。同样一个人，比如你，比如我，以往在精神境界上还欠缺一点，如果一旦提高了，那就会思路开阔了。……对下棋一定会有好处，你的胸襟开阔了，你的棋也就不会小里小气。……尽管每人的性格不同，但提高棋手的精神文化修养总是有好处的。像聂卫平这样的选手，棋已经相当出色了，但他如果在精神世界的修炼中又有新的收获，棋还会上去。

二十世纪真正称得上一代宗师的，恐怕也就吴清源先生一人而已。他当年纵横日本棋坛，横扫千军如卷席的威风且不去说了，就看他的文化素养、精神品格，他对棋道的孜孜以求，他的二十一世纪围棋所包含的深厚的中国文化意蕴，你就可以明白，何谓棋士（哪怕是超一流的棋士），何谓大师了。

原载《围棋报》2000 年 7 月 16、23 日，8 月 8、13 日